This book

Alph. Daudet

From a photograph

DAUDET

LA BELLE-NIVERNAISE

WITH NOTES AND VOCABULARY BY

FRANK W. FREEBORN

QUESTIONS AND EXERCISES BY

NOËLIA DUBRULE

INTER-
NATIONAL
MODERN
LANGUAGE
SERIES

GINN AND COMPANY

GINN AND COMPANY

BOSTON · NEW YORK · CHICAGO · LONDON
ATLANTA · DALLAS · COLUMBUS · SAN FRANCISCO

INTRODUCTION.

———◦◦◦———

ALPHONSE DAUDET was born May 13, 1840, at Nîmes, "une ville de Languedoc où l'on trouve, comme dans toutes les villes du Midi, beaucoup de soleil, pas mal de poussière, un couvent de Carmélites et deux ou trois monuments romains," and here he passed the first nine years of his life. At the end of that time his father, a silk manufacturer, was obliged by the decline of his business to change his residence to Lyons. The removal proved of little advantage to stay his falling fortunes, and in seven years more came the financial end. The family was broken up; the father vainly sought lucrative employment elsewhere, the mother returned to her native Languedoc, an older brother Ernest went to Paris to seek his fortune in its literary world, and Alphonse, who had just finished his course of study at the *lycée* in Lyons but was too poor to take his degree, became usher at the college of Alais, where his great-uncle had once been principal. Timid, puny, near-sighted, a mere boy of sixteen years, he found his life here one long martyrdom at the hands of his cruel pupils, and he was glad after a few months service to join his brother Ernest in Paris, to share his poverty and toil, his hopes and trials. In *Le Petit Chose*, the first half of which is fairly autobiographical, he paints most vividly the scenes and impressions of his life up to that time. Thenceforth he made Paris his home, though delicate health compelled him to spend three successive winters from 1861 to 1864 in the warmer climate of Algeria, Corsica, and Provence. He was not long in gaining recognition by his poems and still more by his short prose sketches published in various journals. He was fortunate enough to gain the favorable attention of the Duc de Morny, president of the *Corps Législatif*, and a lucrative appointment in his office enabled him to live in comfort until his literary work became remunerative.

His first book, a volume of poems, entitled *Les Amoureuses*, appeared in 1858. In a critique on this work Edouard Thierry says: "Alfred de Musset, en mourant, a laissé deux plumes au service de qui pourra les prendre : la plume de la prose et la plume des vers. Octave Feuillet avait hérité de l'une, Alphonse Daudet vient d'hériter de l'autre." During his absence in Algeria, in the winter of 1861–62, his first play was successfully brought out at the *Odéon*. He has since written other pieces for the stage, most of them dramatizations of his romances. His stories early found place in Parisian journals, but it was not until 1868 that he published any prose volume. *Le Petit Chose*, which then appeared, was followed in 1869 by *Lettres de mon Moulin*. The war, during which Daudet remained in Paris, interrupted the publication of his works. But from the close of the war until his death, December 16, 1897, his pen was always busy.

No modern writer of fiction can claim a wider popularity than Alphonse Daudet; and for consummate literary art, for the distinctness and picturesqueness of his characters, for grace and force of diction, and for delicacy of humor no one more fully deserves it. The extreme copiousness of his vocabulary makes it somewhat difficult at times for a beginner in French to appreciate at their full value his finer shades of expression. For such a one to turn from his pages to those of some of his predecessors, Chateaubriand, Lamartine, or Dumas, is like walking along a plateau after climbing a steep mountain-side. But when one has read him carefully for a time, his perfect mastery of his language is an added charm that draws one again and again to his companionship. His analysis of character and motive is profound, but never tedious. His humor is most delicate and pervasive and always kindly, and this it is, more than anything else, that makes his *Tartarin* one of the most happy literary creations of any age or country.

His works reflect his life and surroundings at home and abroad. *Lettres de mon Moulin*, *Le Nabab*, *Numa Roumestan*, and, above all, the Tartarin trilogy, *Tartarin de Tarascon*, *Tartarin sur les Alpes*, and *Port-Tarascon*, give most vivid pictures of his native Midi. The second and third of these works, together with *Fromont jeune et Risler aîné*, *L'Évangéliste*, *Rose et Ninette*, *Jack*, *Les Rois en Exil*, and *Sapho*, portray the social life of Paris, both aristocratic and bourgeois. *Robert Helmont* and many short sketches from *Contes du Lundi* show us his personal experiences and impressions of the war. *L'Immortel* and *Femmes d'Artistes* deal chiefly with Parisian literary and artistic characters. In *Trente Ans de Paris* and *Souvenirs* he reviews his own experiences in the literary world of which he came to form so conspicuous a part.

The faithfulness of his scenes and characters to life is due to his method, of which his brother Ernest says in *Mon Frère et Moi*: "With his habit of describing nothing which he had not seen, of telling nothing which had not happened, of borrowing every detail from real life, characters, environment, conversations, every mental and moral characteristic which came to his notice seemed as a precious vein of metal which should sooner or later enlarge his intellectual store. I think it was especially during his stay in Provence that he first appreciated the fruitful value of this method, and that he definitely set himself the rule which he has ever since rigidly observed."

While only a small proportion of his work appears in poetical form, the poetic feeling and expression are prominent in all his writings, and are so finely mingled with his realism that Émile Zola is led to say of him: "La nature bienveillante l'a mis à ce point exquis où la poésie finit et où la réalité commence."

LA BELLE-NIVERNAISE.

—◆◆◆—

I. UN COUP DE TÊTE.

La rue des Enfants-Rouges, au quartier du Temple.[1]

Une ligne étroite comme un égout, des ruisseaux stagnants, des flaques de boue noire, des odeurs de moisi et d'eau sale sortant des allées béantes.

De chaque côté, des maisons très hautes, avec des fenêtres de casernes, des vitres troubles, sans rideaux, des maisons de journaliers, d'ouvriers en chambre, des hôtels de maçons et des garnis à la nuit.

Au rez-de-chaussée, des boutiques. Beaucoup de charcutiers, de marchands de vin ; des marchands de marrons ; des boulangeries de gros pain,[2] une boucherie de viandes violettes et jaunes.[3]

Pas d'équipages dans la rue, de falbalas,[4] ni de flaneurs sur les trottoirs, — mais des marchands de quatre saisons criant le rebut des Halles,[5] et une bousculade d'ouvriers sortant des fabriques, la blouse roulée sous le bras.

C'est le huit du mois, le jour où les pauvres payent leur terme, où les propriétaires, las d'attendre, mettent la misère à la porte.

C'est le jour où l'on voit passer dans des carrioles des déménagements de lits de fer et de tables boiteuses, entassés les pieds en l'air, avec les matelas éventrés et la batterie de cuisine.

Et pas même une botte de paille pour emballer tous ces pauvres meubles estropiés, douloureux, las de dégringoler les escaliers crasseux et de rouler des greniers aux caves !

La nuit tombe.

Un à un les becs de gaz s'allument, reflétés dans les ruisseaux et dans les devantures de boutiques.

Le brouillard est froid.

Les passants se hâtent.

Adossé au comptoir d'un marchand de vin, dans une bonne salle bien chauffée, le père Louveau trinque avec un menuisier de La Villette.[6]

Son énorme figure de marinier honnête, toute rougeaude et couturée, s'épanouit dans un large rire qui secoue ses boucles d'oreilles.

—Affaire conclue, père Dubac, vous m'achetez mon chargement de bois au prix que j'ai dit.

— Topez là.[7]

— A votre santé !

— A la vôtre !

On choque les verres, et le père Louveau boit, la tête renversée, les yeux mi-clos, claquant la langue, pour déguster son vin blanc.

Que voulez-vous ![8] personne n'est parfait, et le faible du père Louveau, c'est le vin blanc. Ce n'est pas que ce soit un ivrogne. — Dieu non ! — La ménagère, qui est une femme de tête, ne tolérerait pas la ribote ; mais quand on vit comme le marinier, les pieds dans l'eau, le crâne au soleil, il faut bien avaler un verre de temps en temps.

Et le père Louveau, de plus en plus gai, sourit au comptoir de zinc qu'il aperçoit au travers d'un brouillard et qui le fait songer à la pile d'écus neufs qu'il empochera demain en livrant son bois.

Une dernière poignée de main ; un dernier petit verre, et l'on se sépare.

— A demain, sans faute?

— Comptez sur moi.

Pour sûr il ne manquera pas le rendez-vous, le père Louveau. Le marché est trop beau, il a été trop rondement mené pour qu'on traînât.[9]

Et le joyeux marinier descend vers la Seine, roulant les épaules, bousculant les couples, avec la joie débordante d'un écolier qui rapporte un bon point[10] dans sa poche.

Qu'est-ce qu'elle dira la mère Louveau, — la femme de tête,[11] — quand elle saura que son homme a vendu le bois du premier coup, et que l'affaire est bonne?

Encore un ou deux marchés comme celui-là, et on pourra se payer un bateau neuf, planter là la *Belle-Nivernaise* qui commence à faire par trop d'eau.[12]

Ce n'est pas un reproche, car c'était un fier bateau dans sa jeunesse; seulement voilà, tout pourrit, tout vieillit, et le père Louveau, lui-même, sent bien qu'il n'est plus aussi ingambe que dans le temps où il était "petit derrière" sur les flotteurs de la Marne.[13]

Mais qu'est-ce qui se passe là-bas?

Les commères s'assemblent devant une porte; on s'arrête, on cause et le gardien de la paix,[14] debout au milieu du groupe, écrit sur son calepin.

Le marinier traverse la chaussée par curiosité, pour faire comme tout le monde.

— Qu'est-ce qu'il y a?

Quelque chien écrasé, quelque voiture accrochée,[15] un ivrogne tombé dans le ruisseau, rien d'intéressant. . . .

Non! c'est un petit enfant assis sur une chaise de bois, les cheveux ébouriffés, les joues pleines de confitures, qui se frotte les yeux avec les poings.

Il pleure.

Les larmes en coulant ont tracé des dessins bizarres sur sa pauvre mine mal débarbouillée.

Imperturbable et digne comme s'il interrogeait un prévenu, l'agent questionne le marmot et prend des notes.

— Comment t'appelles-tu ?

— Totor.[16]

— Victor quoi ?

Pas de réponse.

Le mioche pleure plus fort et crie :

— Maman ! maman !

Alors une femme qui passait, une femme du peuple, très laide, très sale, traînant deux enfants après elle, sortit du groupe et dit au gardien :

— Laissez-moi faire.

Elle s'agenouilla, moucha le petit, lui essuya les yeux, embrassa ses joues poissées.

— Comment s'appelle ta maman, mon chéri ?

Il ne savait pas.

Le sergent de ville s'adressa aux voisins :

— Voyons, vous, le concierge, vous devez connaître ces gens-là ?

On[17] n'avait jamais su leur nom.

Il passait tant de locataires[18] dans la maison !

Tout ce qu'on pouvait dire, c'est qu'ils habitaient là depuis un mois ; qu'ils n'avaient jamais payé un sou ; que le propriétaire venait de les chasser, et que c'était un fameux débarras.[19]

— Qu'est-ce qu'ils faisaient ?

— Rien du tout.

Le père et la mère passaient leur journée à boire et leur soirée à se battre.

Ils ne s'entendaient que pour rosser leurs enfants, deux garçons qui mendiaient dans la rue et volaient aux étalages.

Une jolie famille, comme vous voyez.

— Croyez-vous qu'ils viendront chercher leur enfant ?

— Sûrement non !

Ils avaient profité du déménagement pour le perdre.

Ce n'était pas la première fois que cette chose-là arrivait, les jours du terme.[20]

Alors l'agent demanda :

— Personne n'a donc vu les parents s'en aller ?

Ils étaient partis depuis le matin, le mari poussant la charrette, la femme un paquet dans son tablier, les deux garçons les mains dans leur poches.

Et maintenant, rattrape-les.

Les passants se récriaient indignés,[21] puis continuaient leur chemin.

Il était là depuis midi, le malheureux mioche !

Sa mère l'avait assis sur une chaise et lui avait dit :

— Sois sage.[22]

Depuis, il attendait.

Comme il criait la faim, la fruitière d'en face lui avait donné une tartine de confiture.

Mais la tartine était finie depuis longtemps, et le marmot avait recommencé à pleurer.

Il mourait de peur, le pauvre innocent ! Peur des chiens qui rôdaient autour de lui ; peur de la nuit qui venait ; peur des inconnus qui lui parlaient, et son petit cœur battait à grands coups dans sa poitrine, comme celui d'un oiseau qui va mourir.

Autour de lui le rassemblement grandissait, et l'agent ennuyé l'avait pris par la main pour le conduire au poste.

— Voyons, personne ne le réclame ?

— Un instant !

Tout le monde se retourna.

Et l'on vit une bonne grosse figure rougeaude qui souriait bêtement jusqu'aux oreilles chargées d'anneaux en cuivre.[23]

— Un instant ! si personne n'en veut, je le prends, moi.

Et comme la foule poussait des exclamations :

— A la bonne heure !

— C'est bien ce que vous faites là.

— Vous êtes un brave homme.

Le père Louveau, très allumé [24] par le vin blanc, le succès de son marché et l'approbation générale, se posa les bras croisés au milieu du cercle.

— Eh bien ! quoi ? c'est tout simple.

Puis les curieux l'accompagnèrent chez le commissaire de police, sans laisser refroidir son enthousiasme.

Là, selon l'usage en pareil cas, on lui fit subir un interrogatoire.

— Votre nom ?

— François Louveau, monsieur le commissaire, un homme marié, et bien marié, j'ose le dire, avec une femme de tête. Et c'est une chance [25] pour moi, monsieur le commissaire, parce que je ne suis pas très fort, pas très fort, hé ! hé ! voyez-vous. Je ne suis pas un aigle. "François n'est pas un aigle," comme dit ma femme.

Il n'avait jamais été si éloquent.

Il se sentait la langue déliée, l'assurance d'un homme qui vient de faire un bon marché et qui a bu une bouteille de vin blanc.

— Votre profession ?

— Marinier, monsieur le commissaire, patron de la *Belle-Nivernaise*, un rude bateau, monté par un équipage un peu chouette.[26] Ah ! ah ! fameux, mon équipage ! . . . Demandez plutôt aux éclusiers depuis le pont Marie jusqu'à Clamecy.[27] . . . Connaissez-vous ça, Clamecy, monsieur le commissaire ?

Les gens souriaient autour de lui, le père Louveau continua, bredouillant, avalant les syllabes.

— Un joli endroit, Clamecy, allez ! Boisé du haut en bas du beau bois, du bois ouvrable ; tous les menuisiers savent ça. . . . C'est là que j'achète mes coupes.[28] Hé! hé! je suis renommé pour mes coupes. J'ai le coup d'œil, quoi! Ce n'est pas que je sois fort; — bien sûr je ne suis pas un aigle, comme dit ma femme; — mais enfin, j'ai le coup d'œil. . . . Ainsi, tenez,[29] je prends un arbre, gros comme vous, — sauf votre respect, monsieur le commissaire, — je l'entoure avec une corde, comme ça . . ."

Il avait empoigné l'agent, et il l'entortillait avec une ficelle qu'il venait de tirer de sa poche.

L'agent se débattait.

— Laissez-moi donc tranquille.

— Mais si.[30] . . . Mais si. . . . C'est pour faire voir à monsieur le commissaire. . . . Je l'entortille comme ça, et puis, quand j'ai la mesure, je multiplie . . . je multiplie. . . . Je ne me rappelle plus par quoi je multiplie. . . . C'est ma femme qui sait le calcul. Une forte tête,[31] ma femme."

La galerie s'amusait énormément, et M. le commissaire lui-même daignait sourire derrière sa table.

Quand la gaieté fut un peu calmée, il demanda:

— Que ferez-vous de cet enfant-là?

— Pas un rentier, pour sûr. Il n'y a jamais eu de rentier dans la famille. Mais un marinier, un brave garçon de marinier, comme les autres.

— Vous avez des enfants?

— Si j'en ai![32] Une qui marche, un qui tette et un qui vient. Pas trop mal, n'est-ce pas pour un homme qui n'est pas un aigle? Avec celui-là ça fera quatre; mais bah! quand il y en a pour trois, il y en a pour quatre. On se tasse un peu. On serre sa ceinture,[33] et on tâche de vendre son bois plus cher."

Et ses boucles d'oreilles remuaient, secouées par son gros rire, tandis qu'il promenait un regard satisfait sur les assistants.

On poussa devant lui un gros livre.

Comme il ne savait pas écrire, il fit une croix, au bas de la page.

Puis le commissaire lui remit l'enfant trouvé.

— Emmenez le petit, François Louveau, et élevez-le bien. Si j'apprends quelque chose à son sujet, je vous tiendrai au courant.[34] Mais il n'est pas probable que ses parents le réclament jamais. Quant à vous, vous m'avez l'air d'un brave homme,[35] et j'ai confiance en vous. Obéissez toujours à votre femme. Et au revoir ! Ne buvez pas trop de vin blanc."

La nuit noire, le brouillard froid, la presse indifférente des gens qui se hâtent de rentrer chez eux, tout cela est fait pour dégriser vivement un pauvre homme.

A peine dans la rue, seul avec son papier timbré[36] en poche et son protégé par la main, le marinier sentit tout d'un coup tomber son enthousiasme ; et l'énormité de son action lui apparut.

Il serait donc toujours le même ?

Un niais ? Un glorieux ?

Il ne pouvait point passer son chemin comme les autres, sans se mêler de ce qui ne le regardait pas ?

Il voyait d'ici la colère de la mère Louveau.

Quel accueil, bonnes gens, quel accueil !

C'est terrible une femme de tête[37] pour un pauvre homme qui a le cœur sur la main.[38]

Jamais il n'oserait rentrer chez lui.

Il n'osait pas non plus retourner chez le commissaire.

Que faire ? Que faire ?

Ils cheminaient dans le brouillard.

Louveau gesticulait, parlait seul, préparait un discours.

Victor traînait ses souliers dans la crotte.

Il se faisait tirer comme un boulet.[39]

Il n'en pouvait plus.

Alors le père Louveau s'arrêta, le prit à son cou, l'enveloppa dans sa vareuse.[40]

L'étreinte des petits bras serrés lui rendit un peu de courage.

Il reprit son chemin.

Ma foi, tant pis ! il risquerait le paquet.[41]

Si la mère Louveau les mettait à la porte, il serait temps de reporter le marmot à la police ; mais peut-être bien qu'elle le garderait pour une nuit, et ce serait toujours un bon dîner de gagné.[42]

Ils arrivaient au pont d'Austerlitz,[43] où la *Belle-Nivernaise* était amarrée.

L'odeur fade et douce des chargements de bois emplissait la nuit.

Toute une flottille de bateaux grouillait[44] dans l'ombre de la rivière.

Le mouvement du flot faisait vaciller les lanternes et grincer les chaînes entre-croisées.

Pour rejoindre son bateau, le père Louveau avait à traverser deux chalands reliés par des passerelles.

Il avançait à pas craintifs, les jambes flageolantes, gêné par l'enfant qui lui étranglait le cou.

Comme la nuit était noire !

Seule une petite lampe étoilait la vitre de la cabine, et une raie lumineuse, qui filtrait sous la porte, animait le sommeil de la *Belle-Nivernaise*.

On entendait la voix de la mère Louveau qui grondait les enfants en surveillant sa cuisine.

— Veux-tu finir,[45] Clara !

Il n'était plus temps de reculer.

Le marinier poussa la porte.

La mère Louveau lui tournait le dos, penchée sur le poêlon, mais elle avait reconnu son pas et dit sans se déranger :

— C'est toi, François ?   Comme tu rentres tard !

Les pommes de terre sautaient dans la friture crépitante et la vapeur qui s'envolait de la marmite vers la porte ouverte troublait [46] les vitres de la cabine.

François avait posé le marmot par terre, et le pauvre mignon, saisi par la tiédeur de la chambre, sentait se déraidir ses petits poings rougis.

Il sourit et dit d'une voix un peu flûtée :

— Fait chaud. . . .

La mère Louveau se retourna.

Et montrant à son homme l'enfant déguenillé debout au milieu de la chambre, elle cria d'un ton courroucé :

— Qu'est-ce que c'est que ça ?

Non ! il y a de ces minutes, dans les meilleurs ménages.

— Une surprise, hé ! hé ! une surprise !

Le marinier riait jusqu'aux oreilles pour se donner une contenance ; mais il aurait bien voulu être encore dans la rue.

Et, comme sa femme, attendant une explication, le regardait d'un air terrible, il bégaya l'histoire tout de travers, avec des yeux suppliants de chien qu'on menace.

Ses parents l'avaient abandonné.   Il l'avait trouvé pleurant sur le trottoir.

On avait demandé :

— Qu'est-ce qui en veut ? [47]

Il avait répondu :

— Moi !

Et le commissaire lui avait dit :

— Emportez-le.

— Pas vrai, petit ?

Alors la mère Louveau éclata :

— Tu es fou, ou tu as trop bu !   A-t-on jamais entendu parler d'une bêtise pareille ? [48]

Tu veux donc nous faire mourir dans la misère ?

Tu trouves que nous sommes trop riches ?

Que nous avons trop de pain à manger ? Trop de place
pour coucher ?

François considérait ses souliers sans répondre.

— Mais, malheureux, regarde-toi, regarde-nous !

Ton bateau est percé comme mon écumoire !

Et il faut encore que tu t'amuses à ramasser les enfants
des autres dans les ruisseaux !

Il s'était déjà dit tout cela, le pauvre homme.

Il ne songeait pas à protester.

Il baissait la tête comme un condamné qui entend le
réquisitoire.

— Tu vas me faire le plaisir de reporter cet enfant-là au
commissaire de police.

S'il fait des façons pour le reprendre,[49] tu lui diras que ta
femme n'en veut pas.

Est-ce compris ? "

Elle marchait sur lui, son poêlon à la main, avec un geste
menaçant.

Le marinier promit tout ce qu'elle voulut.

— Voyons, ne te fâche pas.

J'avais cru bien faire.[50]

Je me suis trompé.

Ça suffit.

Faut-il le ramener tout de suite ? "

La soumission du bonhomme adoucit la mère Louveau.
Peut-être aussi eut-elle la vision d'un de ses enfants à elle,
perdu tout seul dans la nuit, la main tendue vers les
passants.

Elle se détourna pour mettre son poêlon sur le feu et dit
d'un ton bourru :

— Ce n'est pas possible ce soir, le bureau est fermé.

Et maintenant que tu l'as pris, tu ne peux pas le reporter
sur le trottoir.

On le gardera cette nuit ; mais demain matin. . . .

Et la mère Louveau était si en colère qu'elle tisonnait le feu à tour de bras. . . .

— Mais demain matin, je te jure bien que tu m'en débarrasseras !

Il y eut un silence.

La ménagère mettait le couvert brutalement, heurtant les verres, jetant les fourchettes.

Clara, effrayée, se tenait coîte dans un coin.

Le bébé grognait sur le lit, et l'enfant trouvé regardait avec admiration rougir la braise.

Lui qui n'avait peut-être jamais vu de feu, depuis qu'il était né !

Ce fut bien une autre joie, quand il se trouva à table, une serviette au cou, un monceau de pommes de terre dans son assiette.

Il avalait comme un rouge-gorge à qui l'on émiette du pain un jour de neige.

La mère Louveau le servait rageusement, au fond un brin touchée [51] par cet appétit d'enfant maigre.

La petite Clara, ravie, le flattait avec sa cuillère.

Louveau, consterné, n'osait plus lever les yeux.

La table desservie, ses enfants couchés, la mère Louveau s'assit près du feu, le petit entre les genoux, pour lui faire un peu de toilette.

— On ne peut pas le coucher, sale comme il est.

Je parie qu'il n'a jamais vu ni l'éponge ni le peigne.

L'enfant tournait comme une toupie entre ses mains.

Vraiment, une fois lavé et démêlé, il n'avait pas trop laide mine, le pauvre petit gosse,[52] avec son nez rose de caniche et ses mains rondes comme des pommes d'api.[53]

La mère Louveau considérait son œuvre avec une nuance de satisfaction.

— Quel âge peut-il avoir ?

François posa sa pipe, enchanté de rentrer en scène.[54]

C'était la première fois qu'on lui parlait de la soirée, et une question valait presque un retour en grâce.

Il se leva, tira ses ficelles de sa poche.

– Quel âge, hé ! hé ! On va te dire ça.

Il prit le marmot à bras le corps.

Il l'entortilla de ses cordes comme les arbres de Clamecy.

La mère Louveau le regardait avec stupéfaction.

— Qu'est-ce que tu fais donc ?

— Je prends la mesure, bédame ![55]

Elle lui arracha la corde des mains, et la jeta à l'autre bout de la chambre.

— Mon pauvre homme, que tu es bête avec tes manies !

Un enfant n'est pas un baliveau."[56]

Pas de chance ce soir, le malheureux François !

Il bat en retraite, tout penaud, tandis que la mère Louveau couche le petit dans le dodo de Clara.[57]

La fillette sommeille les poings fermés, tenant toute la place.

Elle sent vaguement que l'on glisse quelque chose à côté d'elle, étend les bras, refoule son voisin dans un coin, lui fourre les coudes dans les yeux, se retourne et se rendort.

Maintenant on a soufflé la lampe.

La Seine, qui clapote autour du bateau, balance tout doucement la maison de planches.

Le petit enfant perdu sent une douce chaleur l'envahir, et il s'endort avec la sensation inconnue de quelque chose comme une main caressante qui a passé sur sa tête, lorsque ses yeux se fermaient.

———

2. LA BELLE–NIVERNAISE.

Mlle. Clara se réveillait toujours de bonne heure.

Elle fut tout étonnée, ce matin-là, de ne pas voir sa mère dans la cabine et de trouver cette autre tête à côté d'elle sur l'oreiller.

Elle se frotta les yeux avec ses petits poings, prit son camarade de nuit par les cheveux et le secoua.

Le pauvre Totor se réveilla au milieu des supplices les plus bizarres, tourmenté par des doigts malins qui lui chatouillaient le cou et l'empoignaient par le nez.

Il promena autour de lui des yeux surpris, et fut tout étonné de voir que son rêve durait toujours.

Au-dessus d'eux, des pas craquaient.

On débarquait des planches sur le quai, avec un bruit sourd.

Mlle. Clara semblait fort intriguée.

Elle éleva le petit doigt en l'air et montra le plafond à son ami avec un geste qui voulait dire:

— Qu'est-ce que c'est que ça?

C'était la livraison qui commençait. Dubac, le menuisier de La Villette, était arrivé à six heures, avec son cheval et sa charrette, et le père Louveau s'était bien vite mis à la besogne, d'un entrain qu'on ne lui connaissait pas.

Il n'avait pas fermé l'œil de la nuit, le brave homme, à la pensée qu'il faudrait reporter au commissaire cet enfant qui avait si froid et si faim.

Il s'attendait à une nouvelle scène au réveil; mais la mère Louveau avait d'autres idées en tête, car elle ne lui parla pas de Victor.

François croyait gagner beaucoup en reculant l'heure de l'explication.

Il ne songeait qu'à se faire oublier, qu'à échapper à l'œil de sa femme, travaillant de tout son cœur, de peur que la mère Louveau, le voyant oisif, ne lui criât:

— Dis donc, toi, puisque tu ne fais rien, reconduis le petit où tu l'as pris.

Et il travaillait.

Les tas de planches diminuaient à vue d'œil.

Dubac avait déjà fait trois voyages,[2] et la mère Louveau, debout sur la passerelle, son nourrisson dans les bras, avait tout juste le temps de compter les livraisons au passage.

Dans sa bonne volonté, François choisissait des madriers longs comme des mâts, épais comme des murs.

Quand la solive était trop lourde, il appelait l'Équipage à son secours, pour charger.

L'Équipage, c'était un matelot à jambe de bois qui composait à lui tout seul le personnel de la *Belle-Nivernaise.*

On l'avait recueilli par charité et gardé par habitude.

L'invalide s'arc-boutait sur sa quille,[3] ou soulevait la poutre avec de grands efforts, et Louveau, ployant sous le faix, la ceinture tendue sur les reins, descendait lentement le pont volant.

Le moyen de déranger[4] un homme si occupé?

La mère Louveau n'y pensait pas.

Elle allait et venait sur la passerelle, absorbée par Mimile qui tétait.

Toujours altéré, ce Mimile!

Comme son père.

Altéré, lui, Louveau!... pas aujourd'hui bien sûr.

Depuis le matin qu'on travaille, il n'a pas encore été question de vin blanc. On n'a pas seulement pris le temps de souffler, de s'éponger le front, de trinquer sur le coin d'un comptoir.

Même, tout à l'heure, quand Dubac a proposé d'aller boire un verre, François a répondu héroïquement:

— Plus tard, nous avons le temps.

Refuser un verre!

La ménagère n'y comprend plus rien, on lui a changé son Louveau.

On a changé Clara aussi, car voilà onze heures sonnées, et la petite, qui ne veut jamais rester au lit, n'a pas bougé de la matinée.

Et la mère Louveau descend quatre à quatre dans la cabine pour voir ce qui se passe.

François reste sur le pont, les bras ballants, suffoqué comme s'il venait de recevoir une solive dans l'estomac.

Cette fois, ça y est![5]

Sa femme s'est souvenue de Victor ; elle va le remonter avec elle, et il faudra se mettre en route pour le bureau du commissaire. . . .

Mais non, la mère Louveau reparaît toute seule, elle rit, elle l'appelle d'un signe.

— Viens donc voir, c'est trop drôle !

Le bonhomme ne comprend rien à cette gaieté subite, et il la suit comme un automate, les jambes roides de son émotion.

Les deux marmots étaient assis au bord du lit, en chemise, les pieds nus.

Ils s'étaient emparés du bol de soupe que la mère, en se levant, avait laissé à la portée des petits bras.

N'ayant qu'une cuillère pour deux bouches, ils s'empâtaient à tour de rôle, comme des oisillons dans un nid, et Clara, qui faisait toujours des façons pour manger sa soupe, tendait son bec à la cuillère, en riant.

On s'était bien mis un peu de pain dans les yeux et dans les oreilles, mais l'on n'avait rien cassé, rien renversé, et les deux bébés s'amusaient de si bon cœur, qu'il n'y avait pas moyen de rester fâché.

La mère Louveau riait toujours.

— Puisqu'ils s'entendent si bien que cela, nous n'avons pas besoin de nous occuper d'eux.

François retourna vite à sa besogne, enchanté de la tournure que prenaient les choses.

D'ordinaire, les jours de livraison, il se reposait dans la journée, c'est-à-dire qu'il roulait tous les cabarets[6] de mariniers, du Point-du-Jour au quai de Bercy.[7]

Aussi le déchargement traînait pendant une grande semaine,[8] et la mère Louveau ne décolérait pas.[9]

Mais, cette fois, pas de vin blanc, pas de paresse, une rage de bien faire, un travail fiévreux et soutenu.

De son côté, comme s'il eût compris qu'il fallait gagner sa cause, le petit faisait bien tout ce qu'il pouvait pour amuser Clara.

Pour la première fois de sa vie, la fillette passa la journée sans pleurer, sans se cogner, sans trouer ses bas.

Son camarade l'amusait, la mouchait.

Il était toujours disposé à faire le sacrifice de sa chevelure pour arrêter les larmes de Clara, au bord des cils.

Et elle tirait à pleines mains dans la tignasse embrouillée, taquinant son grand ami comme un roquet qui mordille un caniche.

La mère Louveau voyait tout cela de loin.

Elle se disait que cette petite bonne d'enfant était tout de même commode.

On pouvait bien garder Victor jusqu'à la fin de la livraison. Il serait temps de le rendre après, au moment de partir.

C'est pourquoi, le soir, elle ne fit pas d'allusion au renvoi du petit, le gorgea de pommes de terre, et le coucha comme la veille.

On aurait dit que le protégé de François faisait partie de la famille, et, à voir Clara le serrer par le cou en s'endormant, on devinait que la fillette l'avait pris sous sa protection.

Le déchargement de la *Belle-Nivernaise* dura trois jours.

Trois jours de travail forcené, sans une distraction, sans un écart.

Sur le midi, la dernière charrette fut chargée, le bateau vidé.

On ne pouvait prendre le remorqueur que le lendemain, et François passa toute la journée caché dans l'entrepont, radoubant le bordage,[10] poursuivi par cette phrase qui, depuis trois jours, lui bourdonnait aux oreilles :

— Reporte-le chez le commissaire.

Ah ! ce commissaire !

Il n'était pas moins redouté dans la cabine de la *Belle-Nivernaise* que dans la maison de Guignol.[11]

Il était devenu une espèce de croquemitaine dont la mère Louveau abusait pour faire taire Clara.

Toutes les fois qu'elle prononçait ce nom redouté, le petit attachait sur elle ses yeux inquiets d'enfant qui a trop tôt souffert.

Il comprenait vaguement tout ce que ce mot contenait de périls à venir.

Le commissaire ! cela voulait dire : Plus de Clara, plus de caresses, plus de feu, plus de pommes de terre. Mais le retour à la vie noire, aux jours sans pains, aux sommeils sans lit, aux réveils sans baisers.

Aussi, comme il se cramponna aux jupes de la mère Louveau la veille du départ, quand François demanda d'une voix tremblante :

— Voyons, le reportons-nous, oui ou non ?

La mère Louveau ne répondit pas.

On aurait dit qu'elle cherchait une excuse pour garder Victor.

Quant à Clara, elle se roulait sur le parquet, suffoquée de larmes, décidée à avoir des convulsions si on la séparait de son ami.

La femme de tête parla gravement.

— Mon pauvre homme, tu as fait une bêtise, — comme toujours.

Maintenant il faut la payer.

Cet enfant-là s'est attaché à nous, Clara s'est toquée de lui, et ça peinerait tout le monde de le voir partir.

Je vais essayer de le garder, mais je veux que chacun y mette du sien.[12]

La première fois que Clara aura ses nerfs ou que tu te griseras, je le reporterai chez le commissaire."

Le père Louveau rayonnait.

C'était dit. Il ne boirait plus.

Il riait jusqu'à ses boucles d'oreilles et chantait sur le pont, en roulant son câble, tandis que le remorqueur entraînait la *Belle-Nivernaise* avec toute une flottille de bateaux.

----

3. EN ROUTE.

Victor était en route.

En route pour la campagne de banlieue, mirant dans l'eau ses maisonnettes et ses potagers.

En route pour le pays blanc des collines crayeuses.

En route le long des chemins de halage sonores et dallés.

En route pour la montagnette,[1] pour le canal de l'Yonne[2] endormi dans son lit d'écluses.

En route pour les verdures d'hiver et les bois du Morvan![3]

Adossé à la barre de son bateau, et entêté dans sa volonté de ne pas boire, François faisait la sourde oreille aux invitations des éclusiers et des marchands de vins étonnés de le voir passer au large.

Il fallait se cramponner à la barre pour empêcher la *Belle-Nivernaise* d'accoster les cabarets.[5]

Depuis le temps que le vieux bateau faisait le même voyage, il connaissait les stations, et s'arrêtait tout seul, comme un cheval d'omnibus.

A l'avant, juché sur une seule patte, l'Équipage manœu-
vrait mélancoliquement une gaffe immense, repoussait les
herbes, arrondissait les tournants, accrochait les écluses.

Il ne faisait pas grande besogne, bien qu'on entendît
jour et nuit sur le pont le clabaudement [6] de sa jambe
de bois.

Résigné et muet, il était de ceux pour qui tout a mal
tourné dans la vie.

Un camarade l'avait éborgné à l'école, une hache l'avait
estropié à la scierie, une cuve l'avait ébouillanté [7] à la
raffinerie.

Il aurait fait un mendiant, mourant de faim au bord d'un
fossé, si Louveau, — qui avait toujours eu du coup d'œil, —
ne l'eût embauché à la sortie de l'hôpital pour l'aider à la
manœuvre.

Ç'avait même été l'occasion d'une fière querelle, autrefois,
— exactement comme pour Victor.

La femme de tête s'était fâchée.

Louveau avait baissé le nez. [8]

Et l'Équipage avait fini par rester.

A présent il faisait partie de la ménagerie [9] de la
Belle-Nivernaise, au même titre [10] que le chat et le corbeau.

Le père Louveau gouverna si droit, et l'Équipage
manœuvra si juste, que douze jours après son départ de
Paris, la *Belle-Nivernaise*, ayant remonté le fleuve et les
canaux, vint s'amarrer au pont de Corbigny [11] pour dormir
en paix son sommeil d'hiver.

De décembre à la fin de février les mariniers ne naviguent
pas.

Ils radoubent leurs bateaux et parcourent les forêts pour
acheter sur pied les coupes de printemps. [12]

Comme le bois n'est pas cher, on brûle beau feu dans les
cabines, et, si la vente d'automne a bien réussi, ce temps de
chômage est un repos joyeux.

On disposa la *Belle-Nivernaise* pour l'hivernage, c'est-à-dire que l'on décrocha le gouvernail, que l'on cacha le mât de fortune [18] dans l'entrepont et que toute la place resta libre pour jouer et pour courir sur le tillac.

Quel changement de vie pour l'enfant trouvé !

Pendant tout le voyage il était demeuré abasourdi, effarouché.

On aurait dit un oiseau élevé en cage que la liberté étonne, et qui oublie du coup [14] sa roulade et ses ailes.

Trop jeune pour être charmé du paysage déroulé sous ses yeux, il avait subi pourtant la majesté de cette montée de fleuve entre deux horizons fuyants.

La mère Louveau, qui le voyait sauvage [15] et taciturne, répétait du matin au soir :

— Il est sourd-muet !

Non, il n'était pas muet ! le Petit Parisien du faubourg du Temple !

Quand il eut bien compris qu'il ne rêvait pas, qu'il ne retournerait plus dans sa mansarde, et que, malgré les menaces de la mère Louveau, on n'avait plus grand'chose à craindre du commissaire, sa langue se délia.

Ce fut l'épanouissement d'une fleur de cave, que l'on porterait sur une croisée.

Il cessa de se blottir dans les coins avec une sauvagerie de furet traqué.

Ses yeux enfoncés sous son front bombé perdirent leur mobilité inquiète, et, bien qu'il restât pâlot et de mine réfléchie, il apprit à rire avec Clara.

La fillette aimait passionnément son camarade, comme on s'aime [16] à cet âge-là, pour le plaisir de se quereller et de se raccommoder.

Bien qu'elle fût têtue comme une petite bourrique, elle avait un cœur très tendre, et il suffisait de parler du commissaire pour la faire obéir.

On était à peine arrivé à Corbigny qu'une nouvelle sœur
vint au monde.

Mimile avait tout juste dix-huit mois, et cela fit bien des
berceaux dans la cabine, bien de la besogne aussi ; car,
avec toutes les charges qu'on avait, il n'était pas possible
de payer une servante.

La mère Louveau bougonnait à faire trembler la jambe
de bois de l'Équipage.[17]

Personne ne la plaignait dans le pays. Même les
paysans ne se gênèrent pas pour dire leur façon de penser à
M. le curé, qui proposait [18] le marinier pour exemple.

— Tout ce que vous voudrez, monsieur le curé, ça n'a
pas de bon sens, quand on a déjà trois enfants, à soi, d'aller
ramasser ceux des autres.

Mais les Louveau ont toujours été comme cela.

C'est la gloriole qui les tient, et tous les conseils qu'on
leur donnera ne les changeront pas."

On ne leur souhaitait pas de mal, mais on n'aurait pas
été fâché, qu'ils reçussent une leçon.

M. le curé était un brave homme sans malice, qui
devenait aisément de l'avis des autres, et finissait toujours
par se rappeler un passage de l'Écriture ou des Pères [19]
pour se rassurer lui-même sur ses revirements.

— Mes paroissiens ont raison," se disait-il en passant la
main sous son menton mal rasé.

Il ne faut pas tenter la divine Providence."

Mais comme, à tout prendre,[20] les Louveau étaient de
braves gens, il leur fit, à l'ordinaire, sa visite pastorale.

Il trouva la mère taillant des culottes pour Victor dans
une vieille vareuse, car le mioche était arrivé sans bagage
et la ménagère ne pouvait souffrir des loques autour d'elle.

Elle donna un banc à M. le curé, et comme il lui parlait
de Victor, insinuant que, peut-être, avec la protection de
Monseigneur,[21] on pourrait le faire rentrer à l'orphelinat

d'Autun, [22] la mère Louveau, qui avait son franc parler avec tout le monde, répondit brusquement :

— Que le petit soit une charge pour nous autres, ça c'est sûr, monsieur le curé ; m'est avis [23] que, en me l'apportant, François a prouvé une fois de plus qu'il n'était pas un aigle.

Je n'ai pas le cœur plus dur que le père ; si j'avais rencontré Victor, ça m'aurait fait de la peine, pourtant je l'aurais laissé où il était.

Mais, maintenant qu'on l'a pris, ce n'est pas pour s'en défaire, et si un jour nous nous trouvons dans l'embarras à cause de lui, nous n'irons pas demander la charité à personne."

A ce moment, Victor entra dans la cabine, portant Mimile à son cou.

Le marmot, furieux d'avoir été sevré, se vengeait en refusant de poser le pied à terre.

Il faisait ses dents [24] et mordait tout le monde.

Ému de ce spectacle, M. le curé étendit la main sur la tête de l'enfant trouvé, et dit solennellement :

— Dieu bénit les grandes familles."

Et il s'en alla, enchanté d'avoir trouvé dans ses souvenirs une sentence [25] si appropriée à la situation.

Elle n'avait pas menti, la mère Louveau, en disant que Victor était maintenant de la famille.

Tout en bougonnant, tout en parlant sans cesse de reporter le petit chez le commissaire, la femme de tête s'était attachée au pauvre pâlot qui ne quittait pas ses jupes.

Quand Louveau trouvait qu'on en faisait trop, elle répondait invariablement :

— Il ne fallait pas le prendre.

Dès qu'il eut sept ans, elle l'envoya à l'école avec Clara.

C'était toujours Victor qui portait le panier et les livres.

Il se battait vaillamment pour défendre le goûter [26] contre
l'appétit sans scrupules des jeunes Morvandiaux.[27]

Il n'avait pas moins de courage au travail qu'à la bataille,
et, bien qu'il ne suivît l'école qu'en hiver, quand on ne
naviguait pas, il en savait plus, à son retour, que les petits
paysans, lourds et bruyants comme leurs sabots, qui bâil-
laient douze mois de suite sur l'abécédaire.

Victor et Clara revenaient de l'école par la forêt.

Les deux enfants s'amusaient à regarder les bûcherons
saper [28] les arbres.

Comme Victor était léger et adroit, on le faisait grimper
à la cime des sapins pour attacher la corde qui sert à les
abattre.   Il paraissait plus petit à mesure qu'il montait, et
quand il arrivait en haut, Clara avait très peur.

Lui, brave, se balançait tout exprès pour la taquiner.

D'autres fois, ils allaient voir M. Maugendre à son chantier.

Le charpentier était un homme maigre et sec comme une
douve.

Il vivait seul, en dehors du village, en pleine forêt.

On ne lui connaissait pas d'amis.[29]

La curiosité villageoise avait été longtemps intriguée par
la solitude et le silence de cet inconnu qui était venu, du
fond de la Nièvre,[30] monter un chantier à l'écart des autres.

Depuis six ans, il travaillait par tous les temps, sans
jamais chômer, comme un homme à la peine, bien qu'il
passât pour avoir beaucoup de "denrée,"[31] fît de gros
marchés, et allât souvent consulter le notaire de Corbigny
sur le placement de ses économies.

Un jour il avait dit à M. le curé qu'il était veuf.

On n'en savait pas plus.

Quand Maugendre voyait arriver les enfants, il posait sa
scie, et laissait là sa besogne pour causer avec eux.

Il s'était pris d'affection pour Victor.   Il lui enseignait à
tailler des coques de bateau dans des éclats de bois.

Une fois, il lui dit :

— Tu me rappelles un enfant que j'ai perdu.

Et, comme s'il eût craint d'en avoir trop conté, il ajouta :

— Oh ! il y a longtemps, bien longtemps.

Un autre jour il dit au père Louveau :

— Quand tu ne voudras plus de Victor, donne-le-moi.

Je n'ai pas d'héritiers, je ferai des sacrifices, je l'enverrai à la ville, au collège. Il passera des examens, il entrera à l'école forestière." [82]

Mais François était encore dans le feu de sa belle action. Il refusa, et Maugendre attendit patiemment que l'accroissement progressif de la famille Louveau, ou quelque embarras d'argent, dégoûtât le marinier des adoptions.

Le hasard parut vouloir exaucer ses vœux.

En effet, on eût pu croire que le guignon [83] s'était embarqué sur la *Belle-Nivernaise* en même temps que Victor.

Depuis ce moment-là, tout allait de travers.

Le bois se vendait mal.

L'Équipage se cassait toujours quelque membre la veille des livraisons.

Enfin, un beau jour, au moment de partir pour Paris, la mère Louveau tomba malade.

Au milieu des hurlements des marmots, François perdait la tête.

Il confondait la soupe et les tisanes.

Il impatientait si fort la malade par ses sottises, qu'il renonça à la soigner, et laissa faire Victor.

Pour la première fois de sa vie, le marinier acheta son bois.

Il avait beau entortiller les arbres avec ses ficelles, prendre trente-six fois de suite la même mesure, il se trompait toujours dans le calcul, — vous savez le fameux calcul :

Je multiplie, je multiplie. . . .

C'était la mère Louveau qui savait ça !

Il exécuta la commande tout de travers,[84] se mit en route pour Paris avec une grosse inquiétude, tomba sur un acheteur malhonnête, qui profita de la circonstance pour le rouler.[85]

Il revint au bateau le cœur bien gros, s'assit au pied du lit, et dit d'une voix désolée :

— Ma pauvre femme, tâche de te guérir ou nous sommes perdus.

La mère Louveau se remit lentement. Elle se débattit contre la mauvaise chance, fit l'impossible pour joindre les deux bouts.[86]

S'ils avaient eu de quoi acheter un bateau neuf, ils auraient pu relever leur commerce ; mais on avait dépensé toutes les économies pendant les jours de maladie, et les bénéfices passaient à boucher les trous de la *Belle-Nivernaise*, qui n'en pouvait plus.[87]

Victor devint une lourde charge pour eux.

Ce n'était plus l'enfant de quatre ans que l'on habillait dans une vareuse et que l'on nourrissait (par-dessus le marché.[88]

Il avait douze ans, maintenant ; il mangeait comme un homme, bien qu'il fût resté maigrichon,[89] tout en nerfs, et qu'on ne pût encore songer à lui faire manœuvrer la gaffe, — quand l'Équipage se cassait quelque chose.

Et tout allait de mal en pis. On avait eu grand'peine, au dernier voyage, à remonter la Seine jusqu'à Clamecy.

La *Belle-Nivernaise* faisait eau de toutes parts ;[40] les raccords[41] ne suffisaient plus, il aurait fallu radouber toute la coque, ou plutôt mettre la barque au rancart[42] et la remplacer.

Un soir de mars, c'était la veille de l'appareillage pour Paris, comme Louveau tout soucieux prenait congé de Maugendre, après avoir réglé son compte de bois, le charpentier lui offrit de venir boire bouteille[43] dans sa maison.

— J'ai à te causer, François.

Ils entrèrent dans la cabane.

Maugendre remplit deux verres et ils s'attablèrent en face l'un de l'autre.

— Je n'ai pas toujours été isolé comme tu vois, Louveau.

Je me rappelle un temps où j'avais tout ce qu'il faut pour être heureux : un peu de bien et une femme qui m'aimait.

J'ai tout perdu.

Par ma faute."

Et le charpentier s'interrompit ; l'aveu qu'il avait dans la gorge l'étranglait.

— Je n'ai jamais été un méchant homme, François.

Mais j'avais un vice. . . .

— Toi ?

— Je l'ai encore.

J'aime la "denrée" par-dessus tout.

C'est ce qui a causé mes malheurs.

— Comment ça, mon pauvre Maugendre ?

— Je vais te le dire.

Sitôt mariés, quand nous avons eu notre enfant, l'idée m'est venue d'envoyer ma femme à Paris, chercher une place de nourrice.

Ça rapporte gros, quand le mari a de l'ordre, et qu'il sait conduire sa maison tout seul.

Ma femme ne voulait pas se séparer de son moutard.[44]

Elle me disait :

— Mais, mon homme, nous gagnons assez d'argent comme ça !

Le reste serait de l'argent maudit.

Il ne nous profiterait pas.

Laisse ces ressources-là aux pauvres ménages déjà chargés d'enfants, et épargne-moi le chagrin de vous quitter.

Je n'ai rien voulu écouter, Louveau, et je l'ai forcée à
partir.

— Eh bien?

— Eh bien, quand ma femme a eu trouvé[45] une place, elle
a donné son enfant à une vieille pour le ramener au pays.

Elle les a accompagnés au chemin de fer.

Depuis, on n'en a plus jamais entendu parler.

— Et ta femme, mon pauvre Maugendre?

— Quand on lui a appris la nouvelle, ça a fait tourner
son lait.[46]

Elle est morte.

Ils se turent tous deux, Louveau ému de ce qu'il venait
d'entendre, Maugendre accablé par ses souvenirs.

Ce fut le charpentier qui parla le premier:

— Pour me punir, je me suis condamné à l'existence que
je mène.

J'ai vécu douze ans à l'écart de tous.

Je n'en peux plus.   J'ai peur de mourir seul.

Si tu as pitié de moi, tu me donneras Victor, pour me
remplacer l'enfant que j'ai perdu."

Louveau était très embarrassé.

Victor leur coûtait cher.

Mais si l'on se séparait de lui au moment où il allait
pouvoir se rendre utile, tous les sacrifices qu'on s'était
imposés pour l'élever seraient perdus.

Maugendre devina sa pensée:

— Il va sans dire, François, que si tu me le donnes, je te
dédommagerai de tes frais.

Ça serait aussi une bonne affaire pour le petit.   Je ne
peux jamais voir les élèves forestiers dans les bois, sans me
dire: J'aurais pu faire de mon garçon un monsieur comme
ces messieurs-là.

Victor est laborieux et il me plaît.   Tu sais bien que je
le traiterai comme mon fils.

Voyons, est-ce dit ? "

On en causa le soir, les enfants couchés dans la cabine de la *Belle-Nivernaise.*

La femme de tête essaya de raisonner.

—Vois-tu, François, nous avons fait pour cet enfant-là tout ce que nous avons pu.

Dieu sait qu'on désirait le garder !

Mais puisqu'il s'offre une occasion de nous séparer de lui, sans le rendre malheureux, il faut tâcher d'avoir du courage."

Et, malgré eux, leurs yeux se tournèrent vers le lit, ou Victor et Mimile dormaient d'un sommeil d'enfants, calme et abandonné.

—Pauvre petit ! dit François d'une voix douce.

Ils entendaient la rivière clapoter le long du bordage, et, de temps en temps, le sifflet du chemin de fer déchirant la nuit.

La mère Louveau éclata en sanglots :

—Dieu aie pitié de nous ! François, je le garde !

----

4. LA VIE EST RUDE.

Victor touchait à ses quinze ans.

Il avait poussé tout d'un coup, le petit pâlot, devenant un fort gars aux épaules larges, aux gestes tranquilles.

Depuis le temps qu'il naviguait sur la *Belle-Nivernaise,* il commençait à connaître son chemin comme un vieux marinier, nommant les bas-fonds,[1] flairant les hauteurs d'eau,[2] passant des manœuvres de la perche à celles du gouvernail.

Il portait la ceinture rouge et la vareuse bouffante autour des reins.

Quand le père Louveau lui abandonnait la barre, Clara qui se faisait grande fille, venait tricoter à côté de lui, éprise de sa figure calme et de ses mouvements robustes.

Cette fois-là, la route de Corbigny à Paris avait été rude.

Grossie par les pluies d'automne, la Seine avait fait tomber les barrages,[3] et se ruait vers la mer comme une bête échappée.

Les mariniers inquiets hâtaient leurs livraisons, car le fleuve roulait déjà au ras des quais, et les dépêches, envoyées d'heure en heure par les postes d'éclusiers, annonçaient de mauvaises nouvelles.

On disait que les affluents rompaient leurs digues, inondaient la campagne, et la crue montait, montait.

Les quais étaient envahis par une foule affairée, grouillement d'hommes, de charrettes et de chevaux ; au dessus, les grues à vapeur[4] manœuvraient leur grand bras.

La Halle aux vins[5] était déjà déblayée.

Des camions emportaient des caisses de sucre.

Les toueurs[6] quittaient leurs cabines ; les quais se vidaient ; et la file des charrois, gravissant la pente des rampes,[7] fuyait la crue comme une armée en marche.

Retardés par la brutalité des eaux et les relâches des nuits sans lune,[8] les Louveau désespéraient de livrer leur bois à temps.

Tout le monde avait mis la main à la besogne, et l'on travaillait fort tard dans la soirée, à la lueur des becs de gaz du quai et des lanternes.

A onze heures, toute la cargaison était empilée au pied de la rampe.

Comme la charrette de Dubac, le menuisier, ne reparaissait pas, on se coucha.

Ce fut une terrible nuit, pleine de grincements de chaînes, de craquements de bordages, de chocs de bateaux.

La *Belle-Nivernaise*, disloquée [9] par les secousses, poussait des gémissements comme un patient à la torture.

Pas moyen de fermer l'œil.

Le père Louveau, sa femme, Victor et l'Équipage se levèrent à l'aube, laissant les enfants dans leur lit.

La Seine avait encore monté dans la nuit.

Houleuse et vaguée [10] comme une mer, elle coulait verte sous le ciel bas.

Sur les quais, pas un mouvement de vie.

Sur l'eau pas une barque.

Mais des débris de toits et de clôtures charriés au fil du courant.

Au delà des ponts, la silhouette de Notre-Dame [11] estompée dans le brouillard.

Il ne fallait pas perdre une seconde, car le fleuve avait déjà franchi les parapets du bas port, [12] et les vaguettes, [13] léchant le bout des planches, avaient fait écrouler les piles de bois.

A mi-jambes dans l'eau, François, la mère Louveau et Dubac chargeaient la charrette.

Tout d'un coup, un grand bruit, à côté d'eux, les effraya.

Un chaland, chargé de pierres meulières, brisant sa chaîne, vint couler bas contre le quai, fendu de l'étrave à l'étambot. [14]

Il y eut un horrible déchirement suivi d'un remous.

Et, comme ils restaient immobiles, terrifiés par ce naufrage, ils entendirent une clameur derrière eux.

Déchaînée par la secousse, la *Belle-Nivernaise* se détachait du bord.

La mère Louveau poussa un cri :

— Mes enfants !

Victor s'était déjà précipité dans la cabine.

Il reparut sur le pont le petit dans les bras.

Clara et Mimile le suivaient, et tous tendaient les mains vers le quai.

— Prenez-les !

— Un canot !

— Une corde !

Que faire ?

Pas moyen de les passer tous à la nage.

Et l'Équipage qui courait d'un bordage à l'autre, inutile, affolé !

Il fallait accoster à tout prix.

En face de cet homme égaré et de ces petits sanglotants, Victor improvisé capitaine se sentit l'énergie qu'il fallait pour les sauver.

Il commandait :

— Allons !   Jette une amarre !

Dépêche-toi !

Attrape !"

Ils recommencèrent par trois fois.

Mais la *Belle-Nivernaise* était déjà trop loin du quai, le câble tomba dans l'eau.

Alors Victor courut au gouvernail, et on l'entendit qui criait :

— Ayez pas peur ! [15]   Je m'en charge !

En effet, d'un vigoureux coup de barre, il redressa l'embarcation, qui s'en allait, prise de flanc, à la dérive.

Sur le quai Louveau perdait la tête.

Il voulait se jeter à l'eau pour rejoindre ses enfants ; mais Dubac l'avait saisi à bras le corps, pendant que la mère Louveau se couvrait la figure avec les mains pour ne pas voir.

Maintenant la *Belle-Nivernaise* tenait le courant, et filait avec la vitesse d'un remorqueur sur le pont d'Austerlitz.

Tranquillement adossé à la barre, Victor gouvernait, encourageait les petits, donnait des ordres à l'Équipage.

Il était sûr d'être dans la bonne passe, car il avait manœuvré droit sur le drapeau rouge, pendu au milieu de la maîtresse-arche [16] pour indiquer la route aux mariniers.

Mais aurait-on la hauteur de passer, mon Dieu !

Il voyait le pont se rapprocher très vite.

—A ta gaffe, l'Équipage ! Toi, Clara, ne lâche pas les enfants.

Il se cramponnait au gouvernail.

Il sentait déjà le vent de l'arche dans ses cheveux.

On y était.

Emporté par son élan, [17] la *Belle-Nivernaise* disparut sous la travée, [18] avec un bruit épouvantable, mais non pas si vite, que la foule, amassée sur le pont d'Austerlitz, n'aperçut le matelot à la jambe de bois manquer son coup de gaffe, et tomber à plat-ventre, tandis que l'enfant criait du gouvernail.

—Un grappin ! un grappin !

La *Belle-Nivernaise* était sous le pont.

Dans l'ombre de l'arche, Victor distinguait nettement les énormes anneaux scellés dans l'assise des piles, les joints de la voûte au-dessus de sa tête, et, dans la perspective, l'enfilade des autres ponts encadrant des pans de ciel.

Puis ce fut comme un élargissement d'horizon, un éblouissement de plein air au sortir d'une cave, un bruit de hourras au-dessus de sa tête, et la vision de la cathédrale, ancrée sur le fleuve comme une frégate.

Le bateau s'arrêta net.

Des pontiers avaient réussi à lancer un croc dans le bordage. [19]

Victor courut à l'amarre et enroula solidement le câble autour de la courbe. [20]

On vit la *Belle-Nivernaise* virer de bord, pivoter sur l'amarre et, cédant à l'impulsion nouvelle qui la hâlait, accoster lentement le quai de la Tournelle, [21] avec son équipage de marmots et son capitaine de quinze ans.

Oh! quelle joie, le soir, de se compter tous autour du fricot fumant, dans la cabine du bateau — cette fois bien ancré, bien amarré.

Le petit héros à la place d'honneur, — la place du capitaine.

On n'avait pas beaucoup d'appétit, après la rude émotion du matin, mais les cœurs étaient dilatés, comme à la suite des angoisses.

On respirait largement.

On clignait de l'œil au travers de la table pour se dire :

— Hein! tout de même, si nous l'avions reporté chez le commissaire ? "

Et le père Louveau riait jusqu'aux oreilles, promenant un regard mouillé sur sa couvée.

On aurait dit qu'il leur était arrivé une bonne fortune, que la *Belle-Nivernaise* n'avait plus un trou dans les côtés, qu'ils avaient gagné le gros lot à la loterie.

Le marinier assommait Victor de coups de poings.

Une façon à lui [22] de témoigner sa tendresse !

— Mâtin de Victor ! [23]

Quel coup de barre ! [24]

As-tu vu ça, l'Équipage !

Je n'aurais pas mieux fait, hé ! hé ! Moi, le patron."

Le bonhomme en eut pour quinze jours à pousser des exclamations,[25] à courir les quais pour raconter le coup de barre.

— Vous comprenez :

Le bateau drossait.[26]

Alors lui. . . .

Vlan ! " [27]

Et il faisait un geste pour indiquer la manœuvre.

Pendant ce temps, la Seine baissait, et le moment approchait de repartir.

Un matin, comme Victor et Louveau pompaient sur le tillac, le facteur apporta une lettre.

Il y avait un cachet bleu derrière.

Le marinier ouvrit la lettre d'une main un peu tremblante, et, comme il n'était pas beaucoup plus fort sur la lecture que sur le calcul, il dit à Victor :

— Épelle-moi ça, toi.

Et Victor lut :

BUREAU DU COMMISSAIRE DE POLICE.
XIIe ARRONDISSEMENT.

Monsieur Louveau (François), patron-marinier, est invité à passer dans le plus bref délai au cabinet du Commissaire de police.

— C'est tout ?

— C'est tout.

— Qu'est-ce qu'il peut me vouloir ?

Louveau s'absenta toute la journée.

Quand il rentra, le soir, toute sa gaieté avait disparu. . . .

Il était sombre, hargneux, taciturne.

La mère Louveau n'y comprenait rien, et, comme les petits étaient montés sur le pont pour jouer, elle lui demanda :

— Qu'est-ce qui se passe ?

— J'ai des ennuis.

— A cause de ta livraison ?

— Non, à propos de Victor.

Et il conta sa visite au commissaire.

— Tu sais, cette femme qui l'a abandonné ?

Ce n'était pas sa mère."

— Ah ! bah !

— Elle l'avait volé.

— Comment le sait-on ?

— C'est elle-même qui l'a avoué au commisssaire avant de mourir.

— Mais alors on t'a dit le nom de ses parents?

Louveau tressaillit.

— Pourquoi veux-tu qu'on me l'ait dit? [28]

— Dame! puisqu'on t'a fait demander.

François se fâcha.

— Si je le savais, je te le dirais peut-être.

Il était tout rouge de colère, et il sortit en claquant la porte.

La mère Louveau resta interdite.

— Qu'est-ce qu'il a donc?

Oui, qu'est-ce qu'il avait donc, François?

A partir de ce jour, ses façons, ses paroles, son caractère, tout fut changé en lui.

Il ne mangeait plus, il dormait mal, il parlait la nuit.

Il répondait à sa femme!

Il querellait l'Équipage, rudoyait tout le monde, et Victor plus que les autres.

Quand la mère Louveau, étonnée, lui demandait ce qu'il avait, il répondait brutalement:

— Je n'ai rien.

Est-ce que j'ai l'air d'avoir quelque chose?

Vous êtes tous conjurés contre moi."

La pauvre femme y perdait sa peine.

— Il devient fou, ma parole!

Elle le crut tout à fait toqué, lorsque, un beau soir, il leur fit une scène épouvantable, à propos de Maugendre.

On était au bout du voyage et l'on allait arriver à Clamecy.

Victor et Clara causaient de l'école, et le garçon ayant dit qu'il aurait du plaisir à revoir Maugendre, le père Louveau s'emporta:

— Laisse-moi tranquille avec ton Maugendre.

Je ne veux plus avoir affaire à lui."

La mère intervint:

— Qu'est-ce qu'il t'a fait?

— Il m'a fait. . . .   Il m'a fait. . . .   Ça ne te regarde pas.

Je suis le maître, peut-être ! "

Hélas ! il était si bien le maître maintenant, que, au lieu de relâcher à Corbigny, comme à l'habitude, il remonta deux lieues plus haut, en pleine forêt.

Il déclara que Maugendre ne songeait qu'à le rouler dans tous les marchés,[29] et qu'il ferait de meilleures affaires avec un autre vendeur.

On était trop loin du village pour songer à aller en classe.

Victor et Clara couraient les bois toute la journée pour faire du fagot.

Quand ils étaient las de porter leur charge, ils la déposaient au dos d'un fossé, s'asseyaient par terre au milieu des fleurs.

Victor tirait un livre de sa poche et faisait lire Clara.

Ils aimaient à voir le soleil, filtrant au travers des branches, jeter des lumières tremblantes sur leur page et sur leurs cheveux. Autour d'eux le bourdonnement des milliers de petites bêtes, au loin, le calme des bois.

Quand on s'était attardé, il fallait revenir bien vite, tout du long de la grande avenue, barrée par l'ombre des troncs.

Au bout, on apercevait dans une éclaircie le mât de la *Belle-Nivernaise*, et la lueur d'un feu dans le brouillard léger qui montait de la rivière.

C'était la mère Louveau qui cuisinait, en plein vent, au bord de l'eau, sur un feu de bourrée.

Près d'elle, Mimile ébouriffé comme un plumeau, sa chemise crevant les culottes, surveillait amoureusement la marmite.

La petite sœur se roulait par terre.

L'Équipage et Louveau fumaient leurs pipes.

Un soir, à l'heure de la soupe, ils virent quelqu'un sortir du bois et venir à eux.

— Tiens, Maugendre !

C'était le charpentier.

Bien vieilli, bien blanchi.

Il avait un bâton à la main, et semblait oppressé en parlant.

Il vint à Louveau et lui tendit la main.

— Eh bien ! Tu m'as donc quitté, François !

Le marinier bredouilla une réponse embarrassée.

— Oh ! je ne t'en veux pas.

Il avait l'air si las que la mère Louveau en fut touchée.

Sans prendre garde à la mauvaise humeur de son mari, elle lui offrit un banc pour s'asseoir.

— Vous n'êtes pas malade, au moins, M. Maugendre.

— J'ai pris un mauvais froid.

Il parlait lentement, presque bas.

La peine l'avait adouci.

Il conta qu'il allait quitter le pays pour aller vivre au fond de la Nièvre.

— C'est fini ; je ne ferai plus le commerce.

Je suis riche maintenant ; j'ai de l'argent, beaucoup d'argent.

Mais à quoi bon?

Je ne peux pas racheter le bonheur que j'ai perdu."

François écoutait, les sourcils froncés.

Maugendre continua :

— Plus je vieillis, plus je souffre d'être seul.

Autrefois, j'oubliais encore en travaillant ; mais, à présent, je n'ai plus le cœur à la besogne.

Je n'ai plus le goût à rien.

Aussi je vais me dépatrier, ça me distraira peut-être."

Et, comme malgré lui, ses yeux se tournaient vers les enfants.

A ce moment Victor et Clara débouchèrent de l'avenue avec leur charge de ramée.

En apercevant Maugendre, ils jetèrent leurs fagots et coururent à lui.

Il les accueillit amicalement comme toujours, et dit à Louveau qui restait sombre :

"Tu es heureux, toi, tu as quatre enfants. Moi, je n'en ai plus."

Et il soupira.

"Je n'ai rien à dire, c'est de ma faute."

Il s'était levé.

Tout le monde l'imita.

"Adieu, Victor. Travaille bien et aime tes parents, tu le dois."

Il lui avait posé la main sur l'épaule, il le regardait longuement :

"Dire que si j'avais un enfant, il serait comme lui."

En face, Louveau, la bouche colère,[30] avait un air de dire · "Mais va-t'en donc !"

Pourtant au moment où le charpentier s'en allait, François eut un élan de pitié et l'appela :

"Maugendre, tu ne manges pas la soupe[31] avec nous ?"

C'était dit comme malgré soi, d'un ton brusque qui décourageait d'accepter.

Le vieux secoua la tête :

"Merci, je n'ai pas faim.

Le bonheur des autres, vois-tu, ça fait mal quand on est bien triste."

Et il s'éloigna, courbé sur sa canne.

Louveau ne prononça pas une parole de la soirée.

Il passa la nuit à marcher sur le pont et, le matin, sortit sans rien dire à personne.

Il se rendit au presbytère.

La maison du curé était voisine de l'église.

C'était une grande bâtisse carrée, avec une cour par-
devant et un potager derrière.

Des poules picoraient [82] sur le seuil.

Une vache à l'attache beuglait dans l'herbage.

Louveau se sentait le cœur allégé par sa résolution.

En ouvrant la barrière, il se dit avec un soupir de
satisfaction qu'il serait débarrassé de son souci quand il
sortirait.

Il trouva M. le curé assis au frais dans sa salle à manger.

Le prêtre avait fini son repas et sommeillait légèrement,
la tête inclinée sur son bréviaire.

Réveillé par l'entrée de Louveau il marqua la page, et,
ayant fermé le livre, fit asseoir le marinier qui tournait sa
casquette entre ses doigts.

— Voyons, François, que me voulez-vous?

Il voulait un conseil, et il demanda la permission de
conter tout du long son histoire.

— Parce que, vous savez, monsieur le curé, je ne suis pas
bien fort.   Je ne suis pas un aigle, hé! hé! comme dit ma
femme.

Et mis à l'aise par ce préambule, il narra son affaire, très
essouflé, très rouge, en considérant obstinément la visière
de sa casquette.

— Vous vous souvenez, monsieur le curé, que Maugendre
vous a dit qu'il était veuf?

Il y a quinze ans de ça; sa femme était venue à Paris
pour faire une nourriture.[83]

Elle avait montré son enfant au médecin comme c'est
l'usage, elle lui avait donné à téter une dernière goutte, et
puis elle l'avait confié à une meneuse.[84]

Le prêtre interrompit:

— Qu'est-ce que c'est qu'une meneuse, François?

— C'est une femme, monsieur le curé, que l'on charge de
reconduire au pays les enfants des nourrices.

Elle les emporte à la hotte, dans un panier,[35] comme de pauvres petits chats.

— Drôle de métier ![36]

— Il y a des honnêtes gens pour le faire, monsieur le curé.

Mais la mère Maugendre était tombée sur[37] une femme qu'on ne connaissait pas, une sorcière qui volait les enfants et les louait à d'autres fainéantes, pour les trimbaler dans la rue et faire pitié au monde.

— Qu'est-ce que vous me contez là, François ?

— La vérité toute pure, monsieur le curé.

Cette coquine de femme-là a enlevé un tas d'enfants, et le mioche de Maugendre avec les autres.

Elle l'a gardé jusqu'à quatre ans.

Elle voulait lui apprendre à mendier ; mais c'était le fils d'un brave homme, il refusait de tendre la main.

Alors, elle l'a abandonné dans la rue, et puis, deviens ce que tu peux ![38]

Mais voilà que, il y a six mois, à l'hôpital, au moment de mourir, un remords l'a prise.

Je sais ce que c'est, monsieur le curé, ça fait diablement souffrir. . . ."

Et il leva les yeux au plafond, comme pour jurer qu'il ne mentait pas, le pauvre homme.

— Alors, elle a demandé le commissaire.

Elle lui a dit le nom de l'enfant.

Le commissaire me l'a répété.

C'est Victor.

M. le curé laissa tomber son bréviaire.

— Victor est le fils de Maugendre ?

— C'est sûr."

L'ecclésiastique n'en revenait pas.[39]

Il balbutiait une phrase où l'on distinguait les mots de . . pauvre enfant . . . doigt de Dieu. . . .

Il se leva, marcha dans la chambre, s'approcha de la fenêtre, se versa un verre d'eau, et finit par s'arrêter en face de Louveau, les mains enfoncées dans sa ceinture.

Il cherchait une sentence qui s'appliquât à l'événement, et, comme il n'en trouvait pas, il dit simplement :

— Eh bien ! mais il faut le rendre à son père.

Louveau tressaillit.

— Voilà justement mon ennui, monsieur le curé.

Depuis six mois que je sais ça, je n'ai eu le courage de rien dire à personne, pas même à ma femme.

Nous nous sommes donné tant de mal pour élever cet enfant-là ; nous avons eu tant de misère ensemble, que, aujourd'hui, je ne sais plus comment je ferais pour m'en séparer."

Tout ça, c'était vrai, et si Maugendre semblait à plaindre, on pouvait bien aussi avoir pitié du pauvre François.

Pris entre ces attendrissements contradictoires, M. le curé suait à grosses gouttes, appelait mentalement les lumières d'en haut.

Et, oubliant que Louveau était venu lui demander un avis, il articula d'une voix étouffée :

— Voyons, François, mettez-vous à ma place, que conseilleriez-vous ? "

Le marinier baissa la tête.

— Je vois bien qu'il faudra rendre Victor, monsieur le curé.

J'ai senti ça l'autre jour, quand Maugendre est venu nous surprendre.

Il m'a fendu le cœur à le voir si vieux, si triste et si cassé.

J'étais honteux comme si j'avais eu de l'argent à lui, de l'argent volé, dans ma poche.

Je ne pouvais plus porter mon secret tout seul, je suis venu vous le dire."

— Et vous avez bien fait, Louveau, dit M. le curé, enchanté de voir le marinier lui fournir une solution.

Il n'est jamais trop tard pour réparer une faute.

Je vais vous accompagner chez Maugendre.

Vous lui avouerez tout."

— Demain, M. le curé !

— Non, François, tout de suite.

Et, voyant la douleur du bonhomme, le tortillement convulsif de sa casquette, il implora d'une voix faible :

— Je vous en prie, Louveau, pendant que nous sommes décidés tous les deux.

---

5. LES AMBITIONS DE MAUGENDRE.

Un fils !

Maugendre a un fils !

Il le couve des yeux, assis en face de lui, sur la banquette du wagon, qui les emporte en bourdonnant sur Nevers.

C'est un véritable enlèvement.

Le vieux a emporté son fils presque sans dire merci, comme un manant qui a gagné le gros lot, et se sauve avec.

Il n'a pas voulu laisser son enfant ouvert à toutes les affections anciennes.

Il a l'avarice de la tendresse, comme il a eu celle de l'or.

Pas d'emprunt ! pas de partage ! [1]

Mais son trésor à lui tout seul, sans yeux autour pour le guigner. [2]

Les oreilles de Maugendre bourdonnent comme l'express.

Sa tête est chauffée comme la locomotive.

Et son rêve roule plus vite que toutes les locomotives et que tous les express, franchissant d'un élan les jours, les mois, les années.

Ce qu'il rêve, c'est un Victor de vingt ans, boutonné d'argent, habillé de vert sombre. [3]

Un élève de l'école forestière.

On dirait même que l'élève Maugendre a l'épée au côté et le bicorne sur l'oreille, — comme un polytechnicien,[4] — car toutes les écoles et tous les uniformes sont un peu mêlés dans le rêve de Maugendre.

Et qu'importe!

Les galons et les dorures ne coûtent pas au charpentier.

On a de la "denrée" pour payer tout ça . . . et Victor sera un "monsieur" chamarré des pieds à la tête.

Les hommes lui parleront chapeau bas.[5]

Les belles dames en seront folles.

Et, dans un coin, il y aura un vieux aux mains calleuses qui dira en se rengorgeant:

— Voilà mon fils!

— Allons, mon fils!

Il songe aussi, "mon fils," son petit béret sur les yeux, — en attendant le bicorne doré.

Il ne voudrait pas que son père le vît pleurer.

Ç'a été[6] si brusque, la séparation!

Clara lui a donné un baiser qui lui brûle encore la joue.

Le père Louveau s'est détourné.

La mère Louveau était toute pâle.

Et Mimile lui a apporté son écuelle de soupe, pour le consoler.

Tous! jusqu'à Mimile!

Oh! comment vivront-ils sans lui?

Comment vivra-t-il sans eux?

Et le futur élève de l'école forestière est si troublé qu'il répond, "Oui, monsieur Maugendre," toutes les fois que son père lui parle.

Et il n'est pas au bout de ses tribulations, le petit marinier de la *Belle-Nivernaise.*

Cela ne coûte pas seulement de l'argent de devenir un "monsieur," mais bien des sacrifices et des tristesses.

Victor en a le sentiment, tandis que le train rapide passe en sifflant, sur les ponts, au-dessus du faubourg de Nevers.

Il lui semble qu'il les a déjà vues quelque part, dans un passé éloigné et douloureux, ces rues étroites, ces fenêtres étranglées, comme des soupiraux de prison d'où pendent des loques effilochées.[8]

Maintenant ils ont le pavé sous les pieds. Autour d'eux circule et bourdonne la cohue des débarcadères, presse de curieux, bousculade de gens chargés de colis, roulement des fiacres et des lourds omnibus du chemin de fer, que des voyageurs chargés de couvertures, serrées dans des courroies, prennent bruyamment d'assaut.

Victor et son père sortent en voiture des grilles de la gare.

Le charpentier ne lâche pas son idée.

Il lui faut une transformation subite.

Et il conduit "son fils" tout droit chez le tailleur du collège.

La boutique est neuve, les comptoirs luisants, des messieurs bien mis, qui ressemblent à ceux que l'on voit dans les gravures coloriées, appendues aux murailles, ouvrent la porte aux clients avec un petit sourire protecteur.

Ils mettent sous les yeux du père Maugendre la prime des *Modes illustrées*,[9] où un collégien fume en compagnie d'une amazone, d'un gentleman en complet de chasse, et d'une mariée vêtue de satin blanc.

Justement, le tailleur a sous la main la *tunique type* rembourrée devant et derrière, à basques carrées,[10] à boutons d'or.

Il l'étale sous les yeux du charpentier, qui s'écrie rayonnant d'orgueil :

— Tu auras l'air d'un militaire là-dedans.

Un monsieur en bras de chemise, qui porte un centimètre[11] autour du cou, s'approche de l'élève Maugendre.

Il lui mesure le tour des cuisses, la taille et la colonne vertébrale.

Cette opération rappelle au petit marinier des souvenirs qui lui noient les yeux de larmes ! Les tics du pauvre père Louveau, les colères de la femme de tête, tout ce qu'il a laissé derrière lui.

C'est bien fini, maintenant.

Le jeune homme correct que Victor aperçoit en pantalon d'uniforme, dans la grande glace d'essayage, n'a plus rien de commun avec le "petit derrière" de la *Belle-Nivernaise*.

Le tailleur pousse dédaigneusement du bout du pied, sous l'établi, la vareuse humiliée, comme un paquet de loques.

Victor sent que c'est tout son passé qu'on lui a fait quitter là.

Qu'est-ce à dire quitter ?

Voici qu'on lui défend même de se souvenir ! [12]

— Il faut rompre avec les vices de votre éducation première, dit sévèrement M. le principal, qui ne dissimule pas sa méfiance.

Et pour faciliter cette régénération, on décide que l'élève Maugendre ne sortira du collège que tous les premiers dimanches des mois.

Oh ! comme il pleure, le premier soir, au fond du dortoir triste et froid, tandis que les autres écoliers ronflent dans leurs lits de fer, et que le pion dévore un roman, en cachette, à la lueur d'une veilleuse.

Comme il souffre pendant l'heure maudite des récréations,[13] tandis que les camarades le bousculent et le houspillent !

Comme il est triste en étude, le nez dans son pupitre, tremblant aux colères du pion qui tape à tour de bras sur la chaire en répétant toujours la même phrase :

— Un peu de silence, messieurs !

Cette voix criarde remue toute la lie des mauvais souvenirs, empoisonne sa vie.

Elle lui rappelle les jours noirs de la première enfance, le taudis du faubourg du Temple, les coups, les querelles, tout ce qu'il avait oublié.

Et il se raccroche désespérément aux images de Clara, de la *Belle-Nivernaise*, comme à une éclaircie de soleil, dans le sombre de sa vie.

Et c'est sans doute pour cela que le pion trouve avec stupéfaction des dessins de bateaux à toutes les pages des livres de l'élève Maugendre.

Toujours la même chaloupe reproduite à tous les feuillets avec une obstination d'obsédé.

Tantôt, elle gravit lentement, resserrée comme dans un canal, l'échelle étroite des marges.

Tantôt, elle vient s'échouer en plein théorème, éclaboussant les figures intercalées et les corollaires en petit texte.

Tantôt, elle navigue à pleines voiles sur les océans des planisphères.

C'est là qu'elle se carre à l'aise, qu'elle déploie ses voiles, qu'elle fait flotter son drapeau.

M. le principal, lassé des rapports circonstanciés qu'on lui adresse à ce sujet, finit par en parler à M. Maugendre le père.

Le charpentier n'en revient pas.

— Un garçon si doux !

— Il est têtu comme un âne.

— Si intelligent !

— On ne peut rien lui apprendre.

Et personne ne veut comprendre que l'élève Maugendre a appris à lire en plein bois, par-dessus l'épaule de Clara, et que ce n'est pas la même chose que d'étudier la géométrie, sous la férule d'un pion hirsute.

Voilà pourquoi l'élève Maugendre dégringole de l'étude des "moyens" [14] dans l'étude des "petits."

C'est qu'il y a une singulière différence entre les leçons du magister de Corbigny et celles de MM. les professeurs du collège de Nevers.

Toute la distance qui sépare un enseignement en bonnet de peau de lapin, d'un enseignement en toque d'hermine.

Le père Maugendre se désespère.

Il lui semble que le forestier en bicorne s'éloigne à grandes enjambées.

Il gronde, il supplie, il promet.

— Veux-tu des leçons ?

Veux-tu des maîtres ?

Je te donnerai les meilleurs.

Les plus chers ! "

En attendant, l'élève Maugendre devient un cancre, et les "bulletins trimestriels" constatent impitoyablement sa "turpitude."

Lui-même, il a le sentiment de sa sottise.

Il s'enfonce tous les jours davantage dans l'ombre et dans la tristesse.

Si Clara et les autres pouvaient voir ce qu'on a fait de leur Victor !

Comme ils viendraient ouvrir toutes grandes les portes de sa prison !

Comme ils lui offriraient de bon cœur de partager avec lui leur dernier morceau de pain, leur dernier bout de planche !

Car ils sont malheureux, eux aussi, les autres.

Les affaires vont de mal en pis.

Le bateau est de plus en plus vieux.

Victor sait cela par les lettres de Clara, qui lui arrivent de temps en temps marquées d'un "vu" [15] au crayon rouge, énorme, furieux, griffonné par M. le principal, qui déteste ces "correspondances interlopes."

—Ah! Quand tu étais là, disent les épîtres de Clara toujours aussi tendres, mais de plus en plus affligées. . . . Ah! si tu étais avec nous."

Ne dirait-on pas, vraiment, que tout allait bien dans ce temps-là, et que tout serait sauvé si Victor revenait?

Eh bien, Victor sauvera tout.

Il achètera un bateau neuf.

Il consolera Clara.

Il relèvera le commerce.

Il montrera qu'on n'a pas aimé un ingrat et recueilli un inutile.

Mais pour cela il faut devenir un homme.

Il faut gagner de l'argent.

Il faut être savant.

Et Victor rouvre les livres à la bonne page.[16]

A présent, les flèches[17] peuvent voler, le pion[18] peut frapper à tour de bras sur la chaire en lançant sa phrase de perroquet:

—Messieurs, un peu de silence!

Victor ne lève plus le nez.

Il ne dessine plus de bateaux.

Il méprise les boulettes[19] qui s'aplatissent sur sa figure.

Il bûche[20] . . . il bûche. . . .

—Une lettre pour l'élève Maugendre.

C'est une bénédiction que ce souvenir de Clara qui vient le surprendre en pleine étude, pour l'encourager et lui apporter un parfum de liberté et de tendresse.

Victor se cache la tête dans son pupitre pour baiser l'adresse zigzagante, péniblement tracée, tremblée, comme si un perpétuel tangage de bateau balançait la table sur laquelle Clara écrit.

Hélas! ce n'est pas le tangage, c'est l'émotion qui a fait trembler la main de Clara.

—"C'est fini, mon cher Victor, la *Belle-Nivernaise* ne naviguera plus.

Elle est bien morte, et, en mourant, elle nous ruine.

On a suspendu un écriteau noir à l'arrière.

BOIS A VENDRE
provenant de démolitions.

Des gens sont venus, qui ont tout estimé, tout numéroté, depuis la gaffe de l'Équipage jusqu'au berceau où dormait la petite sœur. Il paraît que l'on va tout vendre, et nous n'avons plus rien.

Qu'allons-nous devenir?

Maman est capable d'en mourir de chagrin, et papa est si changé. . . ."

Victor n'acheva pas la lettre.

Les mots dansaient devant ses yeux; il avait comme un coup de feu sur la face, un bourdonnement dans les oreilles.

Ah! il était bien loin de l'étude, maintenant.

Épuisé par le travail, le chagrin et la fièvre, il délirait.

Il croyait s'en aller à la dérive, en pleine Seine, sur le beau fleuve frais.

Il voulait tremper son front dans la rivière.

Puis, il entendit vaguement un son de cloche.

Sans doute, un remorqueur qui passait dans le brouillard; — puis, ce fut comme un bruit de grandes eaux, et il cria:

— La crue! la crue!

Un frisson le prit, rien qu'à penser à l'ombre accumulée sous l'arche du pont; et, au milieu de toutes ces visions, la figure du pion lui apparut tout près de lui, sous l'abat-jour, hirsute et effarée:

— Vous êtes malade, Maugendre?

L'élève Maugendre est bien malade.

M. le docteur a beau secouer la tête, quand le pauvre père, qui le reconduit jusqu'à la porte du collège, lui demande d'une voix étranglée d'angoisse :

— Il ne va pas mourir, n'est-ce pas ? "

On voit bien que M. le docteur n'est pas rassuré.

Ses cheveux gris ne sont pas rassurés non plus.

Ils disent "non" mollement, comme s'ils avaient peur de se compromettre.

On ne parle plus d'habit vert ni de bicorne.

Il s'agit seulement d'empêcher l'élève Maugendre de mourir.

M. le docteur a dit nettement qu'on ferait bien de lui rendre la clef des champs,[21] s'il en réchappait. . . .

S'il en réchappait !

La pensée de perdre l'enfant qu'il vient de retrouver anéantit tous les désirs ambitieux du père enrichi.

C'est fini, il renonce à son rêve.

Il est tout prêt à enterrer de ses propres main l'élève de l'école forestière.

Il le clouera dans la bière, si l'on veut.

Il ne portera pas son deuil. . . .

Mais, au moins, que l'autre consente à vivre !

Qu'il lui parle, qu'il se lève, qu'il lui jette les bras au cou, qu'il lui dise :

— Console-toi, mon père.

Je suis guéri."

Et le charpentier se pencha sur le lit de Victor.

C'est fini. Le vieil arbre est fendu jusqu'à l'aubier. Le cœur de Maugendre est devenu tendre.

— Je te laisserai partir, mon gars.

Tu retourneras avec eux, tu navigueras encore.

Et ce sera trop bon pour moi de te voir quelquefois, en passant."

A présent, la cloche ne sonne plus les heures de la récréation, du réfectoire et de l'étude.

On est en vacances et le grand collège est désert.

Pas d'autre bruit que ceux du jet d'eau dans la cour d'honneur et des moineaux piaillant sur les préaux.

Le roulement des rares voitures arrive lointain et assourdi, car on a mis de la paille dans la rue.

C'est au milieu de ce silence et de cette solitude que l'élève Maugendre revient à lui.

Il est tout surpris de se retrouver dans un lit bien blanc, entouré de grands rideaux de percale qui mettent tout autour un isolement de demi-jour et de paix.

Il voudrait bien se soulever sur l'oreiller, les écarter un peu pour voir où il est ; mais, bien qu'il se sente délicieusement reposé, il n'en a pas la force, et il attend.

Mais des voix chuchotent autour de lui.

On dirait, sur le plancher, un bruit de pieds marchant sur la pointe, et même un clabaudement connu : quelque chose comme la promenade d'un manche à balai [22] sur des planches.

Victor a déjà entendu cela, autrefois.

Où donc ?

Eh ! sur le tillac de la *Belle-Nivernaise*.

C'est cela !   C'est bien cela !

Et le malade, réunissant toute sa force, crie d'une voix faible, qu'il croit bien grosse :

—Ohé ! l'Équipage ! ohé ! "

Les rideaux se tirent, et, dans un éblouissement de lumière, il aperçoit tous les êtres chéris qu'il a tant appelés dans son délire.

Tous !   Oui, tous !

Ils sont tous là, Clara, Maugendre, le père Louveau, la mère Louveau, Mimile, la petite sœur, et le vieux héron [23] ébouillanté, maigre comme sa gaffe, qui sourit démesurément de son rire silencieux.

Et tous les bras sont tendus, et toutes les têtes sont penchées, et il y a des baisers pour tout le monde, des sourires, des poignées de main, des questions.

— Où suis-je?

Comment êtes-vous là?

Mais les ordres de M. le docteur sont formels. — Les cheveux gris ne plaisantaient pas en commandant cela. — Il faut rentrer les bras sous les couvertures, se taire, ne pas s'exciter.

Et, pour empêcher l'enfant de causer, Maugendre parle tout le temps.

— Figure-toi qu'il y a dix jours, — le jour où tu es tombé malade, — je venais justement voir le principal pour lui parler de toi.

Il me dit que tu faisais des progrès, que tu travaillais comme un manœuvre.

Tu juges si j'étais content!

Je demande à te voir.

On t'envoie chercher, et, juste, ton pion tombe dans le cabinet du principal tout effaré.

Tu venais d'avoir un accès de fièvre chaude.

Je cours à l'infirmerie; tu ne me reconnais pas. Des yeux comme des chandelles, et un délire!

Ah! mon pauvre petit gars, comme tu as été malade!

Je ne t'ai plus quitté d'une minute.

Tu battais la campagne. . . Tu parlais de la *Belle-Nivernaise*, de Clara, de bateau neuf. Est-ce que je sais? [24]

Alors je me suis rappelé la lettre, la lettre de Clara; on te l'avait trouvée dans les mains, on me l'avait donnée. Et, moi, je l'avais oubliée, tu comprends!

Je la tire de ma poche, je la lis, je me cogne la tête, je me dis: Maugendre, il ne faut pas que ton chagrin te fasse oublier la peine des amis.

J'écris à tous ces gens-là de venir nous retrouver.

Pas de réponse.

Je profite d'un jour où tu vas mieux, je vais les chercher, je les amène chez moi où ils habitent, et où ils habiteront jusqu'à ce qu'on ait trouvé moyen d'arranger les affaires.

Pas vrai, Louveau?"

Tout le monde a la larme à l'œil, et, ma foi! tant pis pour les cheveux gris du docteur, les deux bras de Victor sortent de la couverture. Et Maugendre est embrassé comme il ne l'a jamais été, un vrai baiser d'enfant tendre.

Puis, comme il n'est pas possible d'emmener Victor à la maison, on arrange la vie.

Clara restera près du malade pour sucrer ses tisanes et faire la causette.[25]

La mère Louveau ira tenir la maison, François surveillera une bâtisse que le charpentier a entreprise dans la Grande-Rue.

Quant à Maugendre, il part pour Clamecy.

Il va voir des connaissances qui ont une grande entreprise de trains de bois.[26]

Ces gens-là seront enchantés d'employer un fin marinier comme Louveau.

Non! non! pas de récriminations,[27] pas de résistance. C'est une affaire entendue, une chose toute simple.

Certes, ce n'est pas Victor qui récrimine.

On le lève maintenant et l'on roule son grand fauteuil contre la fenêtre.

Il est tout seul avec Clara, dans l'infirmerie silencieuse.

Et Victor est ravi.

Il bénit sa maladie. Il bénit la vente de la *Belle-Niver-naise*. Il bénit toutes les ventes et toutes les maladies du monde.

— Te souviens-tu, Clara, quand je tenais la barre, et que tu venais t'asseoir auprès de moi, avec ton tricot?

Clara se souvient si bien qu'elle baisse les yeux, qu'elle rougit, et qu'ils restent tous les deux embarrassés.

Car maintenant il n'est plus le petit gars en béret rouge dont les pieds ne touchaient pas le tillac quand il grimpait sur la barre, à califourchon.

Et, elle, quand elle arrive le matin, et qu'elle ôte son petit châle pour le jeter sur le lit, elle a l'air d'une vraie jeune fille, tant ses bras sont ronds dans ses manches, sa taille élancée.[28]

— Viens de bonne heure, Clara, et reste le plus tard possible."

Il fait si bon à déjeuner et dîner en tête-à-tête tout près de la fenêtre, à l'abri des rideaux blancs.

Ils se rappellent la petite enfance, les panades mangées au bord du lit, avec la même cuillère.

Ah ! les souvenirs d'enfance !

Ils[29] voltigent dans l'infirmerie du collège comme des oiseaux en volière. Sans doute ils font leur nid dans tous les coins des rideaux, car il y en a de nouveaux chaque matin, frais éclos,[30] qui prennent leur vol.

Et vraiment l'on dirait, à entendre ces conversations du passé, un couple d'octogénaires, ne regardant plus qu'au loin derrière eux.

N'y a-t-il donc pas un avenir qui pourrait bien être intéressant, lui aussi ?

Oui, il y a un avenir ; et l'on y pense souvent, si l'on n'en parle jamais.

D'ailleurs il n'est pas indispensable de faire des phrases pour causer. Certaine façon de se prendre la main et de rougir à tout propos en dit plus long que la parole.

Victor et Clara causent dans cette langue-là toute la journée.

C'est probablement pour cela qu'ils sont souvent silencieux.

Et c'est pour cela aussi que les jours passent si vite, que le mois s'écoule à petit bruit sans qu'on l'entende.

C'est pour cela que M. le docteur est obligé de hérisser ses cheveux gris et de mettre son malade à la porte de l'infirmerie.

Justement, le père Maugendre revient de voyage à cette époque.

Il trouve tout le monde réuni à la maison. Et quand le pauvre Louveau, tout inquiet, lui demande :

— Eh bien ! veut-on de moi, là-bas ? . . .”

Maugendre ne peut se tenir de rire.

— Si on veut de toi, mon vieux ! . . .

Ils avaient besoin d'un patron pour un nouveau navire, et ils m'ont remercié du cadeau que je leur faisais.”

Qui ça “ils ” ? [81]

Le père Louveau est si enchanté qu'il n'en demande pas davantage.

Et tout le monde se met en route pour Clamecy, sans en savoir plus long.

Quelle joie, en arrivant au bord du canal !

Là, à quai, pavoisé du haut en bas, un magnifique bateau, flambant neuf, dresse [82] son mât verni au milieu des verdures.

On lui donne le dernier coup d'astic, [83] et l'étambot, où le nom de l'embarcation est écrit, demeure couvert d'une toile grise.

Un cri sort de toutes les bouches :

— Ah ! le beau navire !

Louveau n'en croit pas ses yeux.

Il a une émotion de tous les diables qui lui picote les paupières, [84] lui fend la bouche d'un pied, et secoue ses boucles d'oreilles comme des paniers à salade.

— C'est trop beau !

Je n'oserai jamais conduire un bateau comme ça. C'est [85] pas fait pour naviguer.

On devrait mettre ça sous globe.”

Il faut que Maugendre le pousse de force sur la passerelle, d'où l'Équipage leur fait des signes.

Comment !

L'Équipage lui-même est restauré ?

Restauré, radoubé, calfaté à neuf.

Il a une gaffe et une jambe de bois toutes fraîches.
C'est une gracieuseté de l'entrepreneur, un homme entendu
qui a bien fait les choses.

Voyez plutôt :

Le tillac est en bois ciré entouré d'une balustrade. Il y
a un banc pour s'asseoir, une tente pour s'abriter.

La cale est de taille à porter cargaison double.

Et la cabine ! . . . oh ! la cabine !

— Trois chambres !

— Une cuisine !

— Des glaces !

Louveau entraîne Maugendre sur le pont.

Il est ému, secoué d'attendrissement, — comme ses boucles d'oreilles.

Il bégaye :

— Mon vieux Maugendre. . . .

— Qu'est-ce qu'il y a ?

— Tu n'as oublié qu'une chose. . . .

— Voyons ?

— Tu ne m'as pas dit pour le compte de qui je naviguerais.

— Tu veux le savoir.

— Bédame !

— Eh bien ! pour ton compte !

— Comment . . . mais alors . . . le bateau. . . .

— Est à toi !

Quel coup, mes enfants !

Quel abordage en pleine poitrine !

Heureusement que l'entrepreneur, — qui est un homme
entendu, — a eu l'idée de mettre un banc sur le pont.

Louveau tombe dessus comme assommé.

— Ce n'est pas possible . . . on ne peut pas accepter. . . .

Mais Maugendre a réponse à tout :

— Allons donc !

Tu oublies notre vieille dette, les dépenses que tu as faites pour Victor !

Sois tranquille, François, c'est encore moi qui te dois le plus."

Et les deux compagnons s'embrassent comme des frères.

Cette fois, ça y est : on a pleuré.

Décidément, Maugendre a tout disposé pour que la surprise soit complète, car tandis qu'on s'embrasse sur le pont, voilà M. le curé qui débouche du bois, bannière au vent, musique en tête.

Qu'est-ce encore ?

La bénédiction du bateau, parbleu !

Tout Clamecy est venu en procession pour assister à la fête.

Et la bannière flotte au vent.

Et la musique joue.

Zim-boum-boum !

Et les figures sont joyeuses.

Et il y a sur tout cela un joli soleil qui fait flamber l'argent de la croix et les cuivres des musiciens.

La jolie fête.

On vient de découvrír la toile qui masquait l'étambot ; le nom du bateau se détache en belles lettres d'or sur un fond d'azur :

LA NOUVELLE–NIVERNAISE.

Hurrah ! pour la *Nouvelle-Nivernaise !* Qu'elle ait longue vie comme l'ancienne et plus heureuse vieillesse !

M. le curé s'est approché du bateau.

Derrière lui, les chantres et les musiciens sont rangés sur une seule ligne.

La bannière fait fond.[36]

— *Benedicat Deus*.[37] . . .

C'est Victor qui est le parrain et Clara qui est la marraine.

M. le curé les a fait avancer au bord du quai, tout près de lui.

Ils se tiennent par la main, ils sont tout timides, tout tremblants.

Ils bredouillent de travers les phrases que l'enfant de chœur leur souffle, tandis que M. le curé secoue le goupillon sur eux :

— *Benedicat Deus*. . . .

Ne dirait-on pas un jeune couple à l'autel ?

Cette pensée-là vient à tout le monde.

Peut-être bien qu'elle leur vint à eux aussi, car ils n'osent pas se regarder, et ils se troublent de plus en plus à mesure que la cérémonie avance.

C'est fini.

La foule se retire et la *Nouvelle-Nivernaise* est bénie.

Mais on ne peut laisser partir les musiciens, comme cela, sans les rafraîchir.

Et, tandis que Louveau verse une rasade aux musiciens, Maugendre cligne de l'œil à la mère Louveau, prend par la main le parrain et la marraine, et se tournant vers M. le curé :

— Voilà le baptême fini, monsieur le curé ; à quand le mariage ? "

Victor et Clara deviennent rouges comme des coquelicots.

Mimile et la petite sœur battent des mains.

Et, au milieu de l'enthousiasme général, le père Louveau, très allumé, se penche sur l'épaule de sa fille.

Il rit jusqu'aux oreilles, le brave marinier, et, réjoui d'avance, de sa plaisanterie, il dit d'un ton goguenard :

— Dis donc, Clara, v'là le moment [38] . . . si nous reportions Victor chez le commissaire ?

NOTES.

———❖———

La Belle-Nivernaise, The Fair Maid of Nevers, is the name of a barge engaged in freighting lumber from Nivernais to Paris through the Nivernais canal and the rivers Yonne and Seine. Nivernais, formerly a duchy of considerable importance and adjoining that of Burgundy, lies in the east central part of France. Nevers, its chief city and former capital, lies in its southern part on the Loire at the mouth of the little river Nièvre. It was a large fortified town even before the conquest of Gaul by the Romans. *La Belle-Nivernaise* was published in 1886.

1. Un Coup de Tête.

1. **quartier du Temple.** The Temple was a strong castle built by the Knights Templars, in 1212, in the northeastern corner of old Paris, and occupied by them until the suppression of their order in 1312. It afterwards served as a royal treasury and later as a prison. It was demolished in 1811. Its site is now occupied by a market for the sale of cheap clothing and notions.

2. **gros pain**: *coarse bread;* big loaves, from three to five feet long.

3. **violettes et jaunes.** The meat was, therefore, hardly fit to eat.

4. **de falbalas**: *no stylish attire ;* literally, *no flounces.*

5. **criant le rebut des Halles**: *hawking the refuse of the market.* *Les Halles* are the great central market of Paris.

6. **La Villette.** The extreme northeastern corner of modern Paris, containing immense cattle-markets and slaughter-houses.

7. **topez là**: *done.* See Dict. for literal meaning.

8. **Que voulez-vous !** *What else could you expect !*

9. **pour qu'on trainât**: *to admit of lagging.*

10. **qui rapporte un bon point**: *carrying home a good report.*

11. **la femme de tête**: *his able wife.*

12. **qui commence à faire par trop d'eau**: *which is beginning to leak too badly.*

61

13. **"petit derrière" sur les flotteurs de la Marne:** *little cabin-boy on the timber-rafts of the Marne*, one of the most important rivers of France; it joins the Seine just above Paris.

14. **gardien de la paix:** *policeman.*

15. **accrochée:** *in collision*, with wheels interlocked.

16. **Totor.** The child's pronunciation of *Victor.*

17. **on.** An impersonal reference to the janitor.

18. **il passait tant de locataires:** *so many occupants of the house were always coming and going.*

19. **c'était un fameux débarras:** *he was heartily glad to be rid of them.*

20. **jours du terme:** *rent-days.*

21. **indignés:** *with indignation.*

22. **sois sage:** *be a good boy.*

23. **qui souriait bêtement jusqu'aux oreilles chargées d'anneaux en cuivre:** *who wore a stupid smile reaching to his ears, in which he wore brass earrings.*

24. **allumé:** *exhilarated.*

25. **c'est une chance:** *it is very fortunate.*

26. **un peu chouette:** *rather neat.*

27. **depuis le pont Marie jusqu'à Clamecy.** The pont Marie connects l'île St. Louis, in the center of Paris, with the right bank of the Seine. Clamecy is a small town in Nivernais, on the Yonne, about 150 miles from Paris.

28. **mes coupes:** *my loads of lumber.*

29. **tenez:** *see here.*

30. **mais si:** *but allow me.*

31. **une forte tête:** *a "great head."*

32. **Si j'en ai!** *Have I!*

33. **on serre sa ceinture:** *we tighten our belts;* so as not to feel so hungry.

34. **je vous tiendrai au courant:** *I will keep you informed.*

35. **brave homme:** *fine fellow.*

36. **papier timbré:** *stamped paper;* having therefore official authority.

37. **une femme de tête:** *a strong-minded wife.*

38. **a le cœur sur la main:** *wears his heart on his sleeve.*

39. **boulet.** Reference is here made to the ball and chain worn by convicts.

40. **vareuse:** *loose blouse.*

41. **il risquerait le paquet:** *he'd risk it.*

42. **un bon dîner de gagné**: *a good dinner gained ;* that is, by the foundling.

43. **pont d'Austerlitz.** A bridge over the Seine in the southeastern part of Paris near the great wine-warehouses and lumber-yards.

44. **grouillait**: *were grinding together.*

45. **Veux-tu finir!** *Do be quiet!*

46. **troublait**: *dimmed.*

47. **Qu'est-ce qui.** For *Qui est-ce qui.* A common error of the illiterate.

48. **une bêtise pareille**: *such a piece of folly.*

49. **s'il fait des façons pour le reprendre**: *if he makes any fuss about taking him back.*

50. **J'avais cru bien faire**: *I thought I was doing all right.*

51. **au fond un brin touchée**: *a little touched at heart.*

52. **gosse**: *brat.*

53. **pommes d'api**: *little, red-cheeked apples.*

54. **rentrer en scène**: *to be allowed to say something.*

55. **bédame.** A variation of *dame.* It means here and on **page 57** " *of course.*"

56. **baliveau**: *staddle ;* a tree left for further growth when others near by are felled.

57. **dodo**: *bed ;* a child's word.

2. LA BELLE-NIVERNAISE.

1. **d'un entrain qu'on ne lui connaissait pas**: *with an energy that no one knew he possessed.*

2. **voyages**: *trips.*

3. **s'arc-boutait sur sa quille**: *braced himself on his " pin" ; i.e.,* his wooden leg.

4. **le moyen de déranger**: *how could he be interrupted!*

5. **Cette fois ça y est!** *It's all up now!*

6. **roulait tous les cabarets**: *made the round of all the wine-shops.*

7. **du Point-du-Jour au quai de Bercy.** The whole extent of the Seine from west to east within the fortifications of Paris. At Bercy there are enormous warehouses.

8. **traînait pendant une grande semaine**: *dragged along for a whole week.*

9. **ne décolérait pas**: *continued in bad humor.*

10. **radoubant le bordage**: *repairing the planking.*

11. **Guignol:** *Punch.* The reference is to the policeman in the French Punch and Judy theatre.

12. **je veux que chacun y mette du sien:** *I wish everybody to contribute his share.*

3. En Route.

1. **la montagnette:** *the little hills.*

2. **canal de l'Yonne.** The canal of Nivernais follows the valley of the Yonne as far up as Corbigny. At that point it crosses to the valley of the Aron and follows that stream to the Loire at Decize.

3. **Morvan.** A hilly, wooded country lying partly in the east of Nivernais. Its people are supposed from their appearance to be descended from the Huns, who invaded France in the fifth century.

4. **de le voir passer au large:** *to see him go by without stopping*

5. **accoster les cabarets:** *halting at the wine-shops.*

6. **clabaudement:** *clattering.*

7. **ébouillanté:** *scalded.*

8. **baissé le nez:** *given in.*

9. **ménagerie:** *family circle; establishment.*

10. **au même titre:** *just as.*

11. **Corbigny.** A small town near the Yonne, 20 miles above Clamecy.

12. **acheter sur pied les coupes de printemps:** *to buy the standing timber for the spring trade.*

13. **mât de fortune:** *jury-mast.*

14. **du coup:** *all at once;* as if shocked into silence.

15. **sauvage:** *shy:* compare *sauvagerie* below.

16. **comme on s'aime:** *as children love one another.*

17. **bougonnait à faire trembler la jambe de bois de l'Équipage:** *grumbled enough to send a chill through the Crew's wooden leg.*

18. **ne se gênèrent pas pour dire leur façon de penser à M. le curé, qui proposait:** *did not hesitate to speak their mind to his Reverence, who was always setting up ——.*

19. **Pères:** *Fathers of the Church.*

20. **à tout prendre:** *take them all in all.*

21. **Monseigneur:** *his Grace, the bishop.*

22. **Autun.** Autun is a very old and important town of Burgundy, just east of Nivernais.

23. **m'est avis:** *it is my opinion.*

24. **faisait ses dents:** *was teething.*

25. **sentence:** *proverb.*

26. **goûter:** *lunch.*

27. **Morvandiaux:** *boys of Morvan.*

28. **saper:** *fell.*

29. **On ne lui connaissait pas d'amis:** *He was not known to have any friends.* See chap. 2, note 1.

30. **Nièvre.** The name of the department of modern France occupying nearly the same position as the old province of Nivernais.

31. **denrée:** *property.* The word means, literally, "personal property"; colloquially, "*the stuff.*"

32. **l'école forestière.** The forests in France are protected by the government. The officers in charge must be graduates of the School of Forestry. This school was established at Nancy in 1829.

33. **le guignon:** *the genius of ill luck.*

34. **exécuta la commande tout de travers:** *botched the job.*

35. **rouler:** *swindle.*

36. **joindre les deux bouts:** *to make both ends meet.*

37. **qui n'en pouvait plus:** *which was about used up.*

38. **par-dessus le marché:** *to boot.*

39. **maigrichon:** *a "rackabones."*

40. **faisait eau de toutes parts:** *was leaking at every seam.*

41. **raccords:** *slight repairs; patching up.*

42. **mettre au rancart:** *to lay aside as worthless.*

43. **lui offrit de venir boire bouteille:** *invited him to come and take a drink.*

44. **moutard:** *"kid."*

45. **a eu trouvée:** *had found.* An idiom of the illiterate for *avait trouvé.*

46. **a fait tourner son lait:** *turned her milk.*

4. La Vie est Rude.

1. **bas-fonds:** *shallows.*

2. **flairant les hauteurs d'eau:** *judging the depth of the water.*

3. **fait tomber les barrages:** *thrown down the weirs.*

4. **grues à vapeur:** *steam cranes.*

5. **la Halle aux vins.** This great wine-market and warehouses occupy an area of about twenty-two acres on the Seine in the eastern part of Paris.

6. **toueurs:** *tow-boys.*

7. **la pente des rampes** : *sloping ascents.* Goods brought to Paris by water are landed on a paved, sloping shore, lying, in the ordinary condition of the river, between the water and the face-wall of the quay. Paved ascents, *rampes*, lead to the level of the quay. *La pente des rampes* is somewhat tautological.

8. **les relâches des nuits sans lune** : *the enforced stoppage of the work on account of moonless nights.*

9. **disloquée** : *strained.*

10. **houleuse et vaguée** : *rolling and tossing.*

11. **Notre-Dame.** This grand cathedral, standing as it does on an island in the Seine, is most picturesquely likened, a little later on, to a frigate at anchor.

12. **bas port** : *landing-place.*

13. **vaguettes** : *wavelets.*

14. **de l'étrave à l'étambot** : *from stem to stern.*

15. **Ayez pas peur !** *Don't be afraid !* For *n'ayez pas peur.* Compare, *c'est pas fait,* chap. 5, note 35.

16. **maîtresse-arche** : *central arch.*

17. **élan** : *momentum.*

18. **travée** : *bay of the arch.*

19. **des pontiers avaient réussi à lancer un croc dans le bordage** : *some bridge-watchmen had succeeded in catching the rail with a hook.*

20. **courbe** : *bitts.*

21. **quai de la Tournelle.** On the south side of the Seine opposite the Ile St. Louis, just above Notre-Dame.

22. **une façon à lui** : *his own way.*

23. **Mâtin de Victor !** *You lucky dog, Victor !*

24. **Quel coup de barre !** *What a twist you gave the helm !*

25. **en eut pour quinze jours à pousser des exclamations** : *was full of ejaculations for a fortnight.*

26. **drossait** : *was rushing to destruction.*

27. **Vlan !** An exclamation always accompanied by a gesture indicating quick and decisive action. Translate here : *Down went the helm, hard down !* Compare, *Quel coup de barre !*

28. **Pourquoi veux-tu qu'on me l'ait dit ?** *What makes you think they told me ?*

29. **rouler dans tous les marchés** : *cheat him in all his bargains.*

30. **la bouche colère** : *with angry face.*

31. **manger la soupe** : *take dinner.*

32. **picoraient** : *pecking.*

33. **faire une nourriture** : *to serve as nurse.*

34. **meneuse.** The word means, literally, "a leader"; there is no exact English equivalent, and the term is so rare in French that the priest has to inquire the meaning. It is a Parisian term.

35. **à la hotte, dans un panier :** *in a pack-basket.* The expression is tautological; the last three words add nothing to the meaning.

36. **drôle de métier :** *queer business.*

37. **était tombée sur :** *had fallen in with.*

38. **deviens ce que tu peux :** *he might get out of the scrape as best he could.*

39. **n'en revenait pas :** *was completely overcome.*

5. LES AMBITIONS DE MAUGENDRE.

1. **Pas d'emprunt ! pas de partage !** *No need either to borrow or to lend.*

2. **guigner :** *to covet.*

3. **boutonné d'argent, habillé de vert sombre :** *with dark-green coat and silver buttons ;* the costume of boys at the School of Forestry.

4. **polytechnicien :** *a pupil of the Polytechnic School,* or government School of Engineers at Paris.

5. **chapeau bas :** *hat in hand.*

6. **ç'a été.** For *ça a été.*

7. **étranglées :** *narrow.*

8. **loques effilochées :** *tattered rags.*

9. **la prime des Modes illustrées :** the colored *premium supplement* given with a Journal of the Fashions.

10. **à basques carrées :** *with square-cut skirts.*

11. **centimètre :** *tape measure.*

12. **Qu'est-ce à dire quitter ? Voici qu'on lui défend même de se souvenir !** *Why say "leave it ?" He is forbidden even to remember it.*

13. **récréations :** *recesses.*

14. **moyens — petits :** *middlers — primaries.*

15. **vu.** In many foreign schools, all correspondence addressed to pupils is subjected to the master's supervision.

16. **rouvre les livres à la bonne page :** *turned over a new leaf.*

17. **flèches :** *paper darts.*

18. **pion :** *usher.* The *pion* does little or no teaching ; his work is mainly to supervise and keep the pupils at work. See Daudet's experiences as *pion* in *Le Petit Chose.*

19. **boulettes :** *paper wads.*

20. **bûche:** *digs.*

21. **lui rendre la clef des champs:** *to turn him loose in an out-door life.*

22. **la promenade d'un manche à balai:** *a broomstick walking about.*

23. **héron:** *heron.* The epithet is suggested by the fellow's wooden leg, resembling the slender leg of the heron.

24. **Est-ce que je sais?** *And what not?*

25. **faire la causette:** *chat.*

26. **qui ont une grande entreprise de trains de bois:** *who have charge of a lot of rafts.*

27. **récriminations:** *objections.*

28. **taille élancée:** *tall stature.*

29. **ils.** Refers to *souvenirs.*

30. **frais éclos:** *newly fledged.*

31. **Qui ça "ils"?** *Whom do they mean by "they"?*

32. **dresse:** *lifts.*

33. **coup d'astic:** *finishing touch.* Astic is properly a smooth bone used to polish the edge of a shoe-sole.

34. **une émotion de tous les diables qui lui picote les paupières:** *a most unaccountable feeling which made his eyelids quiver.*

35. **c'est pas fait.** See chap. 4, note 15.

36. **fait fond:** *forms a background.*

37. **Benedicat Deus:** *God bless —.*

38. **v'là le moment . . . si nous reportions:** *now's a good time; suppose we send back.* V'là for *voilà.*

QUESTIONS AND EXERCISES.

1. UN COUP DE TÊTE.

Answer in full :

1. Décrivez le quartier du Temple à l'heure où les ouvriers sortent des fabriques. 2. Que fait le père Louveau chez le marchand de vin? 3. Pourquoi est-il de plus en plus gai? 4. Que savez-vous du père et de la mère Louveau? 5. Que voit le père Louveau de l'autre côté de la chaussée? 6. Décrivez le pauvre innocent. 7. Que savait-on de lui et de ses parents? 8. Que fit le marinier quand l'agent eut dit : "Voyons! personne ne le réclame?" 9. Racontez la scène qui s'est passée chez le commissaire de police. 10. Quelles réflexions se fait le père Louveau seul dans la nuit noire? 11. Quelle réception reçoit-il de la mère Louveau? 12. Où et comment a dormi Victor ce soir-là?

Put the following sentences in all the tenses of the indicative mode :

1. Les passants se hâtent. 2. Tout vieillit. 3. La nuit venait. 4. La ménagère ne tolérera pas cela. 5. Que dira-t-elle? 6. J'en veux.

Add a suitable noun and partitive article to each of the following :

stagnants	gros	bizarres	satisfaits	boiteuses
béantes	hautes	indignés	roulées	entassés
troubles	bonnes	ouvrable	violette	douloureux

Explain the following idioms :

1. Un marchand de quatre saisons crie le rebut des Halles. 2. Que voulez-vous! chacun a son faible. 3. Je vais planter là la *Belle-Nivernaise* qui commence à faire par trop d'eau. 4. Qu'est-ce qui se passe là? Qu'est-ce qu'il y a là? 5. Le pauvre innocent criait la faim. 6. Je vous tiendrai au courant.

Translation :

The night was falling. The fog was dense, and the passers-by were hastening toward their homes. On each side of the street were very high houses — laborers' houses. Leaning against the counter of a wine merchant whose shop was on the ground-floor, old man Louveau was drinking with a carpenter to whom he had just sold his cargo of wood. While the cheerful boatman was going down toward the Seine he saw a poor little child, seated on a wooden chair, with tousled hair and jam-covered cheeks. The poor boy had been left there by his parents. The skipper of the *Belle-Nivernaise* took the child in his arms, wrapped him in his work-blouse, and brought him home.

2. LA BELLE-NIVERNAISE.

Answer in full :

1. Qu'est-ce que Mlle Clara éprouva à son réveil ? 2. Au milieu de quoi se réveilla le pauvre Victor ? 3. Qu'est-ce qui causait ce bruit sourd qui intriguait Mlle Clara ? 4. Comment le père Louveau travaillait-il ? 5. A quoi s'attendait-il ? 6. Que savez-vous de l'Équipage ? 7. Que se passait-il dans la cabine quand la mère Louveau y descendit ? 8. D'ordinaire, que faisait François les jours de livraison ? 9. Cette fois, comment François s'occupait-il de sa besogne ? 10. De son côté, que faisait le petit ? 11. Que se disait la mère Louveau en voyant tout cela ? 12. Racontez la scène qui se passa la veille du départ.

Put the following in all the forms of the singular and the plural (change the words in italics) :

1. Si on *la* séparait de *son* ami *elle aurait* des convulsions. 2. Si *j'avais* fait une bêtise *je l'aurais* payée.

Explain the following idioms :

1. Elle se réveille de bonne heure. 2. Il s'est mis à la besogne. 3. Il s'attendait à une nouvelle scène. 4. C'est un matelot à jambe de bois. 5. Il faudra se mettre en route. 6. Elle fait des façons pour manger. 7. Il faut que chacun y mette du sien.

Substitute personal pronouns for expressions in italics :

1. *Clara* ne voit pas *sa mère dans la cabine*. 2. *Le père* débarquait *des planches*. 3. *La mère* a demandé *une explication à François*. 4. *Sa femme* s'est souvenue *de Victor*. 5. *François* s'est souvenu *de sa bêtise*. 6. *Victor* restera avec *les mariniers*. 7. *Louveau* parlera *au commissaire*. 8. *La mère* donnera *un lit aux enfants*.

Translate :

They always woke up early in the boatman's cabin. That day, at eleven o'clock, the mother went down four steps at a time to see what was going on. The children were feeding each other in turn like birdlings in a nest. Usually François did not make any fuss about making the rounds of all wine-shops, but this time there was (*omit*) no white wine, no laziness, no relaxation. What did it mean? It is settled. Old man Louveau will drink no more, and Victor will be kept, but everybody will have to contribute his share.

3. EN ROUTE.

Answer in full :

1. Pour quelle partie du pays Victor est-il en route? 2. Que fallait-il faire pour empêcher la *Belle-Nivernaise* d'accoster les cabarets, et pourquoi? 3. Que font les mariniers de décembre à la fin de février? 4. Qu'avait fait l'enfant trouvé pendant le voyage? 5. Qu'arriva-t-il quand il eut compris qu'il ne rêvait pas? 6. Quel sentiment éprouvait la fillette pour son camarade? 7. Comment les Louveau furent-ils jugés par les paysans et même par le curé? 8. A quel âge Victor alla-t-il à l'école? 9. Que faisait Victor en revenant de l'école par la forêt? 10. Que savez-vous de M. Maugendre, le charpentier? 11. Qu'est-ce qu'il offrit à François, un jour? 12. Quels sont les malheurs qui se sont abattus sur les Louveau?

Put the following in all the forms of the singular and the plural (change the words in italics):

1. Il attendit que *je vendisse* le bois. 2. *Il travaillait*, bien qu'*il passât* pour riche. 3. Elle n'est pas fâchée que *je reçoive* une leçon. 4. Il faut que *je fasse* la sourde oreille.

Explain the following idioms :

1. Il fait la sourde oreille aux invitations. 2. Il a toujours eu du coup d'œil. 3. Louveau avait baissé le nez. 4. On n'avait pas grand'chose à craindre. 5. C'est la gloriole qui les tient. 6. Ça m'aurait fait de la peine. 7. Tout allait de travers.

Write the verbs between parentheses in the proper tenses :

1. Bien qu'elle (être) têtue elle avait un cœur très tendre. 2. Je ne crois pas qu'il (être) sourd-muet. 3. Nous attendons qu'il vous (répondre). 4. Il faut que les enfants (prendre) congé de Maugendre.

Translate :

Old man Louveau steered the *Belle-Nivernaise* so straight that in twelve days she was moored at the bridge of Corbigny, there to sleep all winter. Little Victor ceased to hide in corners and began to laugh with Clara. When he was seven years old he was sent to school, and although he attended school only in the winter he knew more than the dull peasants who yawned over their primer twelve months running. One day Maugendre said to Louveau: "When you don't want Victor any more, give him to me. I have lived twelve years away from everybody, but I can't stand it any longer. I am afraid to die alone." Yet, although everything went wrong, Louveau kept the boy.

4. LA VIE EST RUDE.

Answer in full :

1. Comment Victor avait-il poussé? 2. Pourquoi tout le monde avait-il mis la main à la besogne, cette fois-là? 3. Racontez l'accident arrivé à la *Belle-Nivernaise* et comment Victor sauva tout le monde et le bateau. 4. Qu'est-ce que le facteur apporta un matin? 5. Racontez la conversation qui eut lieu entre Louveau et sa femme. 6. Pourquoi la mère Louveau crut-elle François toqué? 7. Quelles raisons donna-t-il pour ne pas relâcher à Corbigny? 8. Décrivez Maugendre, le charpentier. 9. Faites la description du presbytère. 10. Que raconta le marinier à M. le Curé? 11. Que fallait-il faire pendant qu'ils étaient décidés tous les deux?

Put the following in the negative:

1. Épelle-moi ça. 2. Dépêche-toi. 3. Prenez-les. 4. Allons-y.
5. Donnez-le-moi. 6. Va-t'en. 7. Souvenez-vous-en.

Write short sentences with the following:

1. se faire grande fille	6. tout du long de
2. saisir à bras le corps	7. en vouloir à
3. à partir de	8. se rendre à
4. avoir l'air de	9. ne pas en revenir de
5. avoir du plaisir à	10. se donner du mal

Translation:

Louveau went to the parsonage. He found M. le Curé sitting at
an open window in the dining-room. The priest said: "Come!
François, what do you want of me?" François answered: "I
would like to ask your advice. You know that I am not very quick-
witted. I am not an eagle, as my wife says. I am going to tell you
the plain truth: Victor is Maugendre's son." "What!" exclaimed
the priest, "is that sure? Well, you must return him to his father."
"That's the difficulty. I have been thinking about it for the last six
months, but what is the use? I cannot make up my mind to part
with him." "Let us go together and you will confess the whole
thing to Maugendre."

5. LES AMBITIONS DE MAUGENDRE.

Answer in full:

1. Où se trouvent Maugendre et son fils? 2. Comment a agi
Maugendre envers les Louveau? 3. Quel rêve fait-il pour Victor?
4. Dans son coin à quoi songe "mon fils"? 5. Que fait le charpentier dès qu'ils ont le pavé sous les pieds? 6. Décrivez ce qui
s'est passé chez le tailleur. 7. Pourquoi l'élève Maugendre devient-il
un cancre? 8. Que lui rappelle la voix criarde du pion? 9. Quelle
est l'ambition de Victor lorsqu'il lit les lettres de Clara? 10. Quelle
triste nouvelle lui apporte un jour la lettre de Clara? 11. Qu'est-ce
qui arrive alors à Victor? 12. Que fait M. Maugendre pour que son
fils revienne à lui? 13. Quelle grande surprise Maugendre fait-il à
tout le monde? 14. Racontez le baptême de la *Nouvelle-Nivernaise.*

Write the following sentences in the past tense and explain the past participles:

1. Il les voit dans le passé.   2. Victor et son père sortent de la gare.   3. Il conduit son fils chez le tailleur.   4. Voici les rapports qu'on lui adresse.   5. Il relèvera le commerce.   6. Des gens viennent. 7. Elle se penche sur son lit.   8. Ils s'écrivent de bonnes lettres. 9. Nous nous rappelons la lettre.

Form sentences with the following idioms:

1. de mal en pis	6. la larme à l'œil
2. avoir peur	7. faire la causette
3. il s'agit	8. à tout propos
4. la clef des champs	9. en dire long
5. tant pis	10. venir de

Translate:

" It is all over, my dear Victor, the *Belle-Nivernaise* is really dead. On the stern is hanging a black notice: Wood for sale. Everything is going to be sold. What will become of us? " Victor is very sick; he is exhausted by work, sorrow, and fever. He would like to push aside the large curtains that surround his white bed to see where he is, but he hasn't the strength to do it. He hears some voices. They are all there, even the old heron. Now Clara remains alone with him, and Victor is delighted. They recall the time when he was a lad whose feet could not touch the deck when he climbed on the tiller. They do not speak of the future, but they think of it.

VOCABULARY.

A

à, at, by, along, on, in, of, with, upon, to, for, about.

abandonné, free from care.

abandonner, abandon, give up.

abasourdi, dazed.

abat-jour, *m.* lamp-shade.

abattre, throw down. s'—, fall.

abécédaire, *m.* primer.

abordage, *m.* collision.

abri, *m.* shelter. à l'—, sheltered.

abriter, shelter, protect.

absenter, s'—, be absent.

absorbé. — par, thinking only of.

abuser, use, misuse.

accabler, overcome.

accepter, accept.

accès, *m.* attack.

accompagner, accompany.

accoster, come alongside.

accrocher, hook, catch.

accroissement, *m.* increase.

accueil, *m.* reception, welcome.

accueillir, receive.

accumuler, gather.

acheter, buy.

acheteur, *m.* buyer.

achever, finish.

action, *f.* act.

adieu, good-bye.

admiration, *f.* wonder.

adoption, *f.* adoption.

adossé, leaning.

adoucir, soften, make gentle.

adresser, address, send. s'— à, speak to, turn towards.

adroit, active, skilful.

affaire, *f.* bargain, business, story, matter. avoir — à, have anything to do with.

affairé, busy.

affection, *f.* affection.

affligé, disturbed.

affluent, *m.* tributary.

affolé, distracted.

âge, *m.* age.

agenouiller, kneel.

agent, *m.* policeman.

agir, act. il s'agit de, it concerns, it is a question of.

aider, help.

aigle, *m.* eagle. pas un —, not overbright.

aile, *f.* wing, flight.

ailleurs, elsewhere. d'—, besides.

aimer, love.

ainsi, and so.

air, *m.* air, appearance, look. il a l'— de, he looks like, looks as if. il avait l'— si las, he looked so tired.

aise, *f.* ease, rest.

aisément, easily.

ajouter, add.

allée, *f.* alley.

alléger, cheer, lighten.

aller, go. — mieux, improve. s'en
— , go away.

allez ! come now !

allons ! hello ! — donc ! nonsense !

allumé, excited.

allumer, light. s'—, be lighted,
shine out.

allusion, f. allusion.

alors, then.

altéré, thirsty.

amarre, f. painter, line.

amarrer, moor, tie up.

amasser, gather.

amazone, f. woman in riding-habit.

ambitieux, -euse, ambitious.

ambition, f. ambition.

amener, bring.

ami, m. friend.

amicalement, in a friendly man-
ner.

amoureusement, fondly.

amuser, amuse. s'—, be delighted.
s'— à, enjoy.

ancien, -ne, old, former.

ancré, anchored.

âne, m. ass.

anéantir, destroy.

angoisse, f. anguish, extreme suffering.

animer, animate.

anneau, m. ring.

année, f. year.

annoncer, report.

apercevoir, see, notice.

api, m. Appius. (See note, p. 63.)

aplatir, s'—, flatten out.

apparaître, appear.

appareillage, m. setting sail.

appeler, call, name, invoke. comment t'appelles-tu ? what's your
name ?

appendu, hung.

appétit, m. appetite.

appliquer, s'—, apply, fit.

apporter, bring, carry.

apprendre, hear, learn, tell, teach

approbation, f. approval.

approcher, approach. s'— de, approach.

approprié, suited, fit.

après, after, afterwards.

arbre, m. tree.

arc-bouter, prop up.

arche, f. arch.

argent, m. silver, money.

armée, f. army.

arracher, snatch.

arranger, arrange.

arrêter, stop. s'—, stop.

arrière, m. stern.

arriver, arrive, come, happen.

arrondir, round.

arrondissement, ward.

articuler, say.

assaut, m. assault.

assembler, collect. s'—, meet.

asseoir, seat. s'—, sit.

asseyant (from asseoir).

assez, enough.

assiette, f. plate.

assis, seated.

assise, f. course of masonry.

assistant, m. bystander.

assister, be present, witness.

assommer, slap, strike, knock down

assourdi, muffled.

assurance, f. self-confidence.

astic, m. polish.

attabler, seat at table.

attache, f. tether. à l'—, tethered

attacher, fasten, fix.

attarder, delay. s'—, be late.

attendre, wait, await, expect. s'—
à, look for. en attendant, mean-
while.

attendrissement, *m.* affection, sentiment, feeling.

attraper, catch.

aube, *f.* dawn.

aubier, *m.* sap-wood, heart.

au-dessus de, above.

aujourd'hui, to-day.

aussi, so, too, and so. aussi . . .
que, so . . . as.

autel, *m.* altar.

automate, *m.* automaton.

automne, *m.* autumn.

autour, about. — de, around.

autre, other, different.

autrefois, formerly, once.

avaler, swallow.

avance, *f.* advance. d'—, in advance.

avancer, go ahead, step forward,
proceed.

avant, *m.* front, bow.

avant de, before.

avarice, *f.* avarice, jealousy.

avec, with.

avenir, *m.* future.

avenue, *f.* road.

aveu, *m.* confession, statement.

avis, *m.* opinion.

avoir, have. qu'est-ce qu'il a? what
is the matter with him? je n'ai
rien, nothing ails me.

avouer, confess.

azur, *m.* blue.

B

bagage, *m.* baggage.

bah! bah!

bâiller, yawn.

baiser, kiss.

baiser, *m.* kiss.

baisser, hang, drop, lower, fall.

balai, *m.* broom.

balancer, swing, rock, dandle.

balbutier, stammer.

baliveau, *m.* sapling.

ballant, swinging.

balustrade, *f.* balustrade.

banc, *m.* bench, seat.

banlieu, *f.* suburb.

bannière, *f.* flag.

banquette, *f.* seat.

baptême, *m.* christening.

barque, *f.* craft, vessel.

barrage, *m.* weir.

barre, *f.* tiller, helm. coup de —,
turn of the helm.

barré, striped.

barrière, *f.* gate.

bas, -se, low, lowering.

bas, *m.* foot, bottom, stocking.
du haut en —, from top to bottom.

bas-fond, *m.* shoal.

basque, *f.* skirt.

bataille, *f.* battle.

bateau, *m.* boat.

bâtisse, *f.* building.

bâton, *m.* cane, staff.

batterie de cuisine, *f.* kitchen-ware.

battre, beat, clap. — la campagne,
wander everywhere. se —, fight.

béant, gaping.

beau, bel, belle, good, fine, hand-
some. il avait — entortiller, no
use for him to measure.

beaucoup, much, many.

bébé, *m. f.* baby.

bec, *m.* beak, open mouth. — de
gaz, gas-lamp, burner.

bédame! "b'gosh!" of course!

bégayer, stutter, stammer out.

bénédiction, *f.* blessing.

bénéfice, *m.* profit.

bénir, bless.

berceau, *m.* cradle.

béret, *m.* cap.

besogne, *f.* task, work, job.

besoin, *m.* need.

bête, silly.

bête, *f.* wild beast, insect.

bêtement, stupidly.

bêtise, *f.* folly, stupid act, stupidity.

beugler, low, bellow.

bicorne, *m.* bicorne (an official hat of peculiar shape).

bien, well, very, quite, certainly. — **du,** much. — **de la,** much. — **des,** many.

bien que, although.

bière, *f.* coffin.

bizarre, strange.

blanc, blanche, white.

blanchir, grow gray.

bleu, blue.

blottir, se —, cower.

blouse, *f.* working-frock.

boire, drink.

bois, *m.* wood, forest.

boisé, wooded.

boiteux, -euse, rickety.

bol, *m.* bowl.

bombé, bulging.

bon, bonne, good, comfortable, jolly, right.

bonheur, *f.* happiness.

bonhomme, *m.* good fellow.

bonnet, *m.* cap.

bord, *m.* edge, quay.

bordage, *m.* planking, boat, barge.

botte, *f.* bundle.

bouche, *f.* mouth.

boucher, stop up.

boucherie, *f.* meat-shop.

boucle d'oreille, *f.* earring.

boue, *f.* mud.

bouffant, swelling.

bouger, stir.

bougonner, grumble.

boulangerie, *f.* bakery.

boulette, *f.* wad.

bourdonner, hum, ring.

bourrée, *f.* brushwood.

bourrique, *f.* little ass.

bourru, rough.

bousculade, *f.* hustling crowd.

bousculer, jostle.

bout, *m.* end. — **du pied,** toe.

bouteille, *f.* bottle.

boutique, *f.* shop.

boutonner, button.

braise, *f.* glowing coals.

branche, *f.* branch.

bras, *m.* arm, sleeve.

brave, worthy, good, courageous — **homme,** good fellow, poor fellow.

bredouiller, jabber, stammer.

bref, brève, short.

breviaire, *m.* breviary.

brin, *m.* bit.

briser, break.

brouillard, *m.* fog.

bruit, *m.* noise.

brûler, burn.

brusque, rough, sudden.

brusquement, sharply, bluntly.

brutalement, roughly.

brutalité, *f.* roughness.

bruyamment, noisily.

bruyant, noisy, boisterous.

bu (from boire).

bûcher, dig.

bûcheron, *m.* wood-cutter.

bulletin, *m.* report.

bureau, *m.* office.

buvez (from boire).

C

ça, for cela, that.

cabaret, *m.* wine-shop.

cabine, *f.* cabin.

cabinet, *m.* private office.

câble, *m.* rope.

cacher, hide, pack away.

cachet, *m.* seal.

cachette, *f.* hiding. en —, secretly.

cadeau, *m.* present.

cage, *f.* cage.

caisse, *f.* box.

calcul, *m.* arithmetic, rule, reckoning.

cale, *f.* hold.

calepin, *m.* note-book.

calfaté, calked.

califourchon, en —, astride.

calleux, -euse, calloused, horny.

calme, calm.

calme, *m.* quiet.

calmé, subsided.

camarade, *m.* comrade, playmate. — de nuit, bedfellow.

camion, *m.* dray.

campagne, *f.* country.

canal, *m.* canal.

cancre, *m.* dunce.

caniche, *m.* poodle.

canne, *f.* cane.

canot, *m.* boat.

capable de, likely to.

capitaine, *m.* captain.

car, for.

caractère, *m.* character.

caressant, caressing.

caresse, *f.* caress.

cargaison, *m.* cargo.

carré, square, square-cut.

carrer, se —, sail proudly along.

carriole, *f.* wagon.

cas, *m.* case.

caserne, *f.* barracks.

casquette, *f.* cap.

casser, break.

cathédrale, *f.* cathedral.

cause, *f.* case, cause. à — de, because of.

causer, talk, chat. j'ai à te —, I have something to say to you.

causette, *f.* talk.

cave, *f.* cellar.

ce, cet, cette, ces, this, he, it, they.

céder, yield.

ceinture, *f.* belt, waistband.

cela, that.

celui, celle, ceux, celles, that, those

celui-ci, this.

celui-là, that.

centimètre, *m.* measuring-tape.

cercle, *m.* circle.

cérémonie, *f.* ceremony.

certain, certain.

certes, certainly.

cesse, *f.* ceasing.

cesser, stop.

c'est à dire, that is to say.

chacun, each.

chagrin, *m.* pain, grief.

chaîne, *f.* chain.

chaire, *f.* teacher's desk.

chaise, *f.* chair.

chaland, *m.* barge.

châle, *m.* shawl.

chaleur, *f.* warmth.

chaloupe, *f.* row-boat.

chamarrer, bedizen, trim.

chambre, *f.* room.

champ, *m.* field.

chance, *f.* luck, good luck.

chandelle, *f.* candle-light.

changement, *m.* change.

changer, change.

chanter, sing.

chantier, *m.* wood-yard.

chantre, *m.* singer.

chapeau, *m.* hat.

chaque, each.

charcutier, *m.* pork-dealer.

charge, *f.* burden, expense.

chargement, *m.* load, loading.

charger, load, burden, pile up, employ. se —, take charge.

charité, *f.* charity.

charmer, charm.

charpentier, *m.* carpenter.

charrette, *f.* cart, hand-cart.

charrié, carried along.

charroi, *m.* cart.

chasser, turn out, drive away.

chat, *m.* cat.

chatouiller, tickle.

chaud, warm, hot. **fait —,** 't 's warm.

chauffer, warm, heat.

chaussée, *f.* street.

chemin, *m.* way, road. **— de fer,** railway.

cheminer, keep on one's way.

chemise, *f.* shirt.

cher, chère, dear, costly.

chercher, seek, get, try to think of.

chéri, dear.

cheval, *m.* horse.

chevelure, *f.* hair.

cheveux, *m.* hair.

chez, to (or at) the house (or office) of. **— le commissaire,** to the police-station. **— eux,** home.

chien, *m.* dog.

choc, *m.* shock, collision.

chœur, *m.* choir.

choisir, choose.

chômage, *m.* idleness.

chômer, take a vacation.

choquer, clink.

chose, *f.* thing. **pas grand'chose,** not much.

chouette, trim, neat.

chuchoter, whisper.

ciel, *m.* sky.

cil, *m.* eyelash.

cime, *f.* top.

circonstance, *f.* circumstance, fact.

circonstancié, detailed.

circuler, whirl.

ciré, waxed.

clabaudement, *m.* clattering.

clameur, *f.* shouting.

clapoter, ripple.

claquer, smack, slam.

classe, *f.* class. **aller en —,** go to school.

clef, *f.* key.

client, *m.* customer.

cligner de l'œil, wink.

cloche, *f.* bell.

clos, closed, shut.

clôture, *f.* fence.

clouer, nail up.

cœur, *m.* heart, might. **de si bon —,** so heartily.

cogner, knock, thump, rack.

cohue, *f.* crowd, confusion.

coi, coite, still.

coin, *m.* corner.

colère, *f.* anger, angry outburst

colis, *m*. bundle.

collège, *m*. college, school.

collégien, *m*. student.

colline, *f*. hill.

colonne vertébrale, *f*. length of back.

colorié, colored.

commande, *f*. order.

commander, call out, order.

comme, as, like, how, as if, as it were. — ça, as it is. ce fut —, there seemed to be. — la nuit était noire! how dark the night was!

commencer, begin.

comment? how? what!

commerce, *m*. business, trade. ne ferai plus le —, shall never again engage in business.

commère, *f*. gossip.

commissaire de police, *m*. police-inspector.

commode, handy, useful.

commun, common.

compagnie, *f*. company.

complet, -ète, full, complete. — de chasse, full hunting costume.

composer, compose, make up.

comprendre, understand.

compris (from comprendre).

compromettre, compromise.

compte, *m*. account.

compter, count, depend.

comptoir, *m*. counter.

concierge, *m*. janitor.

conclu, finished. affaire conclue, it's a bargain.

condamné, *m*. criminal.

condamner, condemn.

conduire, lead, manage, take.

confiance, *f*. confidence.

confier, entrust.

confiture, *f*. preserves, jam.

confondre, confuse, mix up.

congé, *m*. leave.

conjurer, conspire.

connaissance, *m*. acquaintance.

connaître, know, recognize.

connu, well known.

conseil, *m*. advice.

conseiller, advise.

consentir, consent.

considérer, look at, eye steadily.

consoler, console, cheer.

constater, state.

consterné, amazed.

consulter, consult.

contenance, *f*. air of assurance.

contenir, hold.

content, pleased.

conter, tell, describe.

continuer, keep on.

contradictoire, opposing.

contre, against, up to.

conversation, *f*. talk.

convulsif, nervous.

convulsion, *f*. convulsion.

coque, *f*. hull. — de bateau, little boat.

coquelicot, *m*. poppy.

coquin, rascally. coquine de femme, rascally woman.

corbeau, *m*. crow.

corde, *f*. string, cord.

corollaire, *m*. corollary.

corps, *m*. body. à bras le —, about the waist.

correct, strictly stylish.

correspondance, *f*. correspondence.

côté, *m*. side. à — de, beside.

cou, *m*. neck, shoulders, throat.

coucher, put to bed, sleep. se —, go to bed.

coude, *m.* elbow.

couler, run, trickle, sweep along, drift. — bas, sink.

coup, *m.* blow, stroke, thump, touch, shock, pressure. du —, at once. tout d'un —, all at once. —d'œil, quick eye. — de feu, shot.

coupe, *f.* cutting.

couple, *f.* couple.

cour, *f.* court, yard.

courage, *m.* courage.

courant, *m.* current, stream. (See note, p. 62.)

courbe, *f.* bitts.

courbé, leaning.

courir, run, run about.

courroie, *f.* strap.

courroucé, angry.

coûter, cost.

couturé, seamed.

couvée, *f.* brood.

couver, look at fondly.

couvert, covered.

couvert, *m.* cloth. mettre le —, set the table.

couverture, *f.* wrap, bed-clothes.

craindre, fear.

craint (from craindre).

craintif, timorous.

cramponner, se —, cling.

crâne, *m.* head.

craquement, *m.* cracking, creaking.

craquer, crack, creak.

crasseux, -euse, filthy.

crayeux, -euse, chalky.

crayon, *m.* pencil.

crépitant, crackling.

crever, burst, stick through.

criard, petulant.

crier, cry, exclaim, cry out.

croc, *m.* hook.

croire, believe, think. croyait gagner, thought he had gained.

croisé, folded.

croisée, *f.* window.

croix, *f.* cross.

croquemitaine, *m.* bugaboo.

crotte, *f.* mud.

cru (from croire).

crue, *f.* tide, flood.

cuillère, *f.* spoon.

cuisine, *f.* kitchen, cooking.

cuisinier, cook.

cuisse, *f.* thigh.

cuivre, *m.* copper, brass, brass instrument.

culotte, *f.* breeches.

curé, *m.* priest.

curieux, *m.* looker-on, loafer, sight-seer.

curiosité, *f.* curiosity.

cuve, *f.* vat.

D

daigner, deign, condescend.

dallé, paved.

dame! gracious!

dame, *f.* lady.

dans, in, into.

danser, dance.

davantage, more, still, further.

de, of, in, from, at, with.

débarbouillé, washed.

débarcadère, *f.* railway-station.

débarquer, unload.

débarras, *m.* riddance.

débarrasser, rid, relieve. se —, get rid.

débattre, se —, struggle.

déblayé, cleared out.

débordant, overflowing.

déboucher, come out.

debout, standing.

débris, *m.* wreckage.

décembre, *m.* December.

déchaîné, set adrift.

déchargement, *m.* unloading.

déchirement, *m.* crash.

déchirer, pierce.

décidément, really.

décider, determine, decide.

déclarer, declare.

décolérer, lay aside anger.

décourager, discourage.

découvrir, remove.

décrocher, unhang.

dédaigneusement, scornfully.

dédommager, repay.

défaire, undo.   **pour s'en —,** to get rid of him.

défendre, defend, protect, forbid.

dégoûter, disgust.

dégringoler, tumble down, drop.

dégriser, sober.

déguenillé, ragged.

déguster, taste.

dehors, outside.   **en —,** outside.

déjà, already.

déjeuner, breakfast.

delà, beyond.   **au — de,** beyond.

délai, *m.* delay.

délicieusement, deliciously.

délier, loosen, untie.

délire, *m.* delirium.

délirer, wander in mind.

demain, to-morrow, the next day.

demander, ask.

démêler, untangle.

déménagement, *m.* load, moving out.

démesurément, immoderately, from ear to ear.

demeurer, remain.

demi-jour, *m.* twilight.

démolition, *f.* breaking up.

denrée, *f.* property.   (See note, p 65.)

dent, *f.* tooth.

départ, *m.* departure, start.

dépatrier, expatriate, exile.

dépêche, *f.* despatch, message.

dépêcher, hurry.

dépense, *f.* expenditure.

dépenser, spend.

déployer, unfurl.

déposer, put down.

depuis, since, from.   **— un mois,** for the past month.

déraidir, se —, relax.

déranger, disturb.

dérive, *f.* drifting.   **à la —,** adrift.

dernier, -ère, last.

dérouler, unroll, spread out.

derrière, behind, at the back.

derrière, *m.* rear, stern, cabin-boy.

dès que, as soon as.

descendre, go down.

désert, empty.

désespérément, desperately.

désespérer, despair.   **se —,** be at one's wit's end.

désir, *m.* desire.

désirer, desire, wish.

désolé, discouraged.

desservi, cleared.

dessin, *m.* pattern, drawing.

dessus, upon it.   **au —,** above.

détacher, se —, start off, stand out.

détester, detest.

détourner, turn away.   **se —,** turn away.

dette, *f.* debt.

deuil, *m.* mourning.

deux, two.

devant, before.

devanture, *f.* front, show-window.

devenir, become. — de l'avis, come over to the opinion.

deviens (from devenir).

deviner, guess, think.

devint (from devenir).

devoir, ought, must, owe.

dévorer, devour.

devrait (from devoir). on —, you ought.

diable, *m.* devil, fiend.

diablement, devilishly, extremely, terribly.

Dieu, *m.* God.

différence, *f.* difference.

digne, dignified, worthy.

digue, *f.* dike.

dilaté, full.

diminuer, lessen.

dîner, *m.* dinner.

dire, say, tell, call. dire que! to think that!

dis (from dire). — donc! look here, now!

discours, *m.* speech.

disloqué, strained.

disparaître, disappear.

disposé, ready.

disposer, lay up.

dissimuler, hide.

distance, *f.* distance.

distinguer, distinguish, make out.

distraction, *f.* distraction, amusement.

distraire, distract.

divin, divine.

dix, ten.

dix-huit, eighteen.

docteur, *m.* doctor.

dodo, *m.* bed. (See note, p. 63.)

doigt, *m.* finger.

dois (from devoir). tu le —, you ought to do so.

donc, then, really. viens —, do come. qu'est-ce que tu fais —? what in the world are you doing?

donner, give.

doré, gold-trimmed.

dormir, sleep.

dortoir, *m.* dormitory.

dorure, *f.* gold trimming.

dos, *m.* back, edge, bank.

double, double.

doucement, gently, softly.

douleur, *f.* pain, suffering.

douloureux,-euse, suffering, painful.

doute, *m.* doubt.

douve, *f.* stave.

doux, douce, gentle, soft, sweet.

douze, twelve.

douzième, twelfth.

drapeau, *m.* flag.

dresser, lift.

droit, directly, straight, at once.

drôle, strange, funny.

drosser, rush.

dur, hard.

durer, continue.

E

eau, *f.* water. faire —, leak.

éblouissement, *m.* shock, glare.

éborgner, put out one eye.

ébouillanter, scald.

ébouriffé, tousled.

écart, *m.* relaxation, rest. à l'— apart.

écarter, part.

ecclésiastique, *m.* priest.

échapper à, escape from, avoid.

échelle, *f.* pathway.

échouer, s'—, run aground.

éclaboussant, splashing.

éclaircie, *f.* gleam, clearing.

éclat, *m.* chip.

éclater, burst out.

éclos, hatched.

écluse, *f.* lock, lock-gate.

éclusier, *m.* lock-keeper.

école, *f.* school.

écolier, *m.* schoolboy.

économies, *f.* savings.

écouler, s'—, slip away.

écouter, listen.

écraser, crush, run over.

écrire, write, paint.

écriteau, *m.* notice.

écriture, *f.* writing. **l'Écriture,** the Bible.

écrouler, tumble, fall in pieces.

écu, *m.* crown (coin).

écuelle, *f.* porringer.

écumoire, *f.* skimmer.

éducation, *f.* training.

effaré, wild-looking.

effarouché, frightened.

effet, *m.* **en —,** in short.

effiloché, tattered.

effort, *m.* effort.

effrayer, frighten.

égaré, frantic.

église, *f.* church.

égout, *m.* sewer.

élan, *m.* impetus, bound, sudden feeling.

élancé, grown, developed.

élargissement, *m.* widening.

élève, *m.* pupil.

élever, bring up, lift.

elle, she, it, her. **ses enfants à —,** her own children.

éloigné, distant.

éloigner, remove.

éloquent, eloquent.

emballer, pack.

embarcation, *f.* craft, boat.

embarquer, go aboard.

embarras, *m.* trouble, difficulty.

embarrassé, embarrassed.

embaucher, hire.

embrasser, kiss.

embrouillé, tousled.

émietter, crumble.

emmener, take away.

émotion, *f.* emotion, excitement.

emparer, s'— de, get, get hold of, grasp.

empâter, feed (of birds).

empêcher, prevent.

empiler, pile.

emplir, fill.

employer, employ.

empocher, pocket.

empoigner, grasp.

empoisonner, poison.

emporter, take away, carry along. **s'—,** burst out.

emprunt, *m.* borrowing.

ému, stirred, touched.

en, in, to, when, while, by, made of.

en, of him, any, enough, about him.

encadrer, frame.

enchanté, delighted.

encore, more, still, again.

encourager, encourage.

endroit, *m.* place.

énergie, *f.* strength.

enfance, *f.* childhood.

enfant, *c.* child, boy.

enfilade, *f.* long series.

enfin, after all, in short.

enfoncé, sunken, thrust.

enfoncer, s'—, plunge.

enjambée, *f.* stride.

enlèvement, *m.* abduction.

enlever, carry off.

ennui, *m.* trouble, difficulty.

ennuyé, tired out.

énorme, big.

énormement, excessively.

énormité, *f.* enormity.

enrichi, grown rich.

enrouler, twist.

enseignement, *m.* instruction.

enseigner, teach.

ensemble, together.

entasser, pile up.

entendre, hear, understand. s'—, agree.

entendu, well-informed.

enterrer, bury.

entêté, determined, obstinate.

enthousiasme, *m.* enthusiasm.

entortiller, wind about.

entourer, encircle, surround.

entrain, *m.* earnestness, activity.

entraîner, drag, tow, lead.

entre, between.

entre-croisé, crossed.

entrée, *f.* entrance.

entrepont, *m.* hold, between-decks.

entreprendre, undertake, begin.

entrepreneur, *m.* builder, host.

entreprise, *f.* contract.

entrer, enter.

envahir, steal over, occupy.

envelopper, wrap up.

enverrai (from envoyer).

envoler, s'—, fly out.

envoyer, send. — chercher, send for.

épais, -aisse, thick, dense.

épanouir, expand.

épanouissement, *m.* unfolding.

épargner, spare.

épaule, *f.* shoulder.

épée, *f.* sword.

épeler, spell, read.

épître, *f.* letter.

éponge, *f.* sponge.

éponger, wipe off, mop.

époque, *f.* time.

épouvantable, frightful.

épris, attracted.

épuiser, exhaust.

équipage, *m.* carriage, crew.

escalier, *m.* staircase.

espèce, *f.* kind, sort.

essayage, *f.* trying on. glace d'— cheval-glass.

essayer, try.

essouflé, choking.

essuyer, wipe.

estimer, appraise.

estomac, *m.* stomach.

estompé, stumped.

estropier, maim.

établi, *m.* work-bench.

étalage, *m.* stand.

étaler, display, spread out.

étambot, *m.* stern.

étendre, stretch out.

étoiler, twinkle, light up.

étonner, astonish, bewilder, amaze.

étrangler, choke, crowd.

étrave, *f.* stem.

être, be.

être, *m.* being. —s chéris, loved ones.

étreinte, *f.* embrace.

étroit, narrow.

étude, *f.* study, study-time, class, grade.

eut (from avoir). en — pour quinze jours, was obliged for fifteen days.

eux, themselves, them.

événement, *m.* case.

éventrer, rip open.

exactement, precisely.

examen, *m.* examination.

exaucer, favor, grant.

exciter, s'—, show excitement.

exclamation, *f.* exclamation.

excuse, *f.* excuse.

exécuter, carry out, fill.

existence, *f.* life.

explication, *f.* explanation.

exprès, expressly. tout —, on purpose.

express, *m.* express train.

F

fabrique, *f.* workshop.

face, *f.* face. en —, facing, before. d'en —, opposite.

fâché, sorry, angry.

fâcher, se —, get angry.

faciliter, facilitate, help.

façon, *f.* method, way, ceremony. faire des —s, make a fuss, be particular.

facteur, *m.* postman.

fade, heavy, oppressive.

fagot, *m.* fagot.

faible, weak.

faible, *m.* weakness.

faim, *f.* hunger. avoir —, be hungry.

fainéante, *f.* lazy person, good-for-nothing creature.

faire, make, do, form, be, cause, get, become. se faisait tirer, made them drag him along, hung back. se — oublier, avoid notice. se faisait, was becoming. on t'a fait demander, you were summoned. faisait lire Clara, had Clara read. fait pour dégriser, calculated to sober. — pitié au monde, excite people's pity. il fait si bon, it is so comfortable. pour — voir, to show. faisait vaciller les lanternes, swung the lanterns.

faix, *m.* load.

falbala, *m.* flounce.

falloir, be necessary, must, ought, be obliged to. tout ce qu'il faut, everything needed. faut-il le ramener ? must I take him back ? il ne fallait pas le prendre, you ought not to have taken him. il faudrait, he would have to. il faudra rendre, I shall have to take back. il aurait fallu, it would have been necessary.

fameux, -euse, wonderful.

famille, *f.* family.

fasse (from faire).

faubourg, *m.* quarter, district, suburb.

faute, *f.* fault. sans —, without fail.

fauteuil, *m.* armchair.

femme, *f.* woman, wife.

fendre, break, split.

fendu (from fendre).

fenêtre, *f.* window.

fer, *m.* iron.

fera (from faire).

ferez (from faire).

fermer, shut, close.

férule, *f.* rod.

fête, *f.* celebration.

feu, *m.* fire, shot. dans le — de, enthusiastic about.

feuillet, *m.* leaf.

février, *m.* February.

fiacre, *m.* coach.

ficelle, *f.* string.

fier, fière, proud, fierce, hot.

fièvre, *f.* fever. — chaude, brain fever.

fiévreux, -euse, feverish, hot.

figure, *f.* face, figure.

figurer, se —, imagine.

fil, *m.* current.

file, *f.* line.

filer, float along.

fillette, *f.* little girl.

fils, *m.* son.

filtrer, filter, trickle, creep.

fin, skilful.

fin, *f.* end.

finir, finish. **finit par rester**, finally stayed.

fit (from faire).

flageolant, trembling.

flairer, scent, judge by instinct.

flamber, gleam. **flambant neuf**, brand new.

flanc, *m.* side. **prise de** —, side-wise.

flâneur, *m.* loiterer.

flaque, *f.* puddle, pool.

flatter, pat.

flèche, *f.* dart.

fleur, *f.* flower.

fleuve, *m.* river, stream.

flot, *m.* tide, current.

flotille, *f.* fleet.

flotter, float, stream out.

flotteur, *m.* lumber-raft.

fluté, thin, piping.

foi, *f.* faith. **ma** —! upon my word !

fois, *f.* time. **une** — **de plus**, once more. **toutes les** —, every time.

fond, *m.* bottom, depth, farthest part, background.

force, *f.* strength, force.

forcené, furious.

forcer, compel.

forestier, -ière, forestry.

forêt, *f.* forest.

formel, -elle, strict.

fort, strong, quick-witted.

fort, violently, greatly, seriously, very, much.

fortune, *f.* **mât de** —, jury-mast.

fossé, *m.* trench, moat, ditch.

fou, folle, crazy.

foule, *f.* crowd.

fourchette, *f.* fork.

fournir, furnish.

fourrer, stuff, punch.

frais, fraîche, cool, new. **au** — by the open window.

frais, freshly, newly.

frais, *m.* expense.

franc, franche, free.

franchir, overflow, leap over, clear.

frapper, rap.

frégate, *f.* frigate.

frère, *m.* brother.

fricot, *m.* stew, supper.

frisson, *m.* chill.

friture, *f.* fat.

froid, cold.

froid, *m.* cold. **avoir** —, be cold

froncé, knitted.

front, *m.* brow.

frotter, rub.

fruitière, *f.* fruit-woman.

fuire, flee from.

fumant, smoking, steaming.

fumer, smoke.

furet, *m.* ferret.

furieux, -euse, angry.

futur, future.

fuyant, retreating.

G

gaffe, *f.* boat-hook.

gagner, earn, win, gain.

gai, gaie, jovial.

gaieté, *f.* merriment, happiness.

galerie, *f.* spectators.

galon, *m.* lace, galloon.

garçon, *m.* boy. brave —, good fellow.

garde, *f.* care. prendre — à, notice.

garder, keep.

gardien, *m.* policeman.

gare, *f.* railway station.

garni, *m.* furnished apartment.

gars, *m.* lad.

gaz, *m.* gas.

gémissement, *m.* groan.

gêner, annoy. se —, take the trouble, hesitate.

général, general.

genou, *m.* knee.

gens, *m.* folks, people.

géométrie, *f.* geometry.

geste, *m.* gesture, movement.

gesticuler, gesticulate.

gilet, *m.* waistcoat.

glace, *f.* mirror.

glisser, slip, slide.

globe, *m.* globe. sous —, under glass.

glorieux, *m.* boaster.

gloriole, *f.* pride, vainglory.

goguenard, teasing.

gorge, *f.* throat.

gorger, stuff.

gosse, *m.* child, brat, "kid."

goupillon, *m.* aspergill.

goût, *m.* taste, pleasure.

goûter, *m.* luncheon.

goutte, *f.* drop.

gouvernail, *m.* rudder.

gouverner, steer.

grâce, *f.* favor.

gracieuseté, *f.* gracious manners.

grand, big, heavy, full, loud, whole. toutes grandes, wide.

grandir, grow larger.

grappin, *m.* grapnel.

gravement, earnestly.

gravir, climb up.

gravure, *f.* engraving, plate.

grenier, *m.* garret.

griffonner, scrawl.

grille, *f.* iron gate.

grimper, climb.

grincement, *m.* squeaking, grating, clanking.

grincer, squeak, grate, clank.

gris, gray.

griser, se —, get drunk.

grogner, grumble, whine.

gronder, scold.

gros, grosse, big, coarse, thick, hearty, heavy.

grossi, swollen.

grouillement, *m.* swarming mass.

grouiller, move uneasily.

groupe, *f.* group.

grue, *f.* crane. — à vapeur, steam-crane.

guérir, cure. se —, get well.

guigner, covet.

guignon, *m.* genius of ill luck.

H

habiller, clothe, dress.

habiter, live.

habitude, *f.* habit. comme à l'—, as usual.

hache, *f.* hatchet.

halage, *m.* towing. chemin de —, tow-path.

haler, draw.

Halle, *f.* market.

hargneux, -euse, cross.

hâter, hurry. **se —,** hurry.

haut, high. **en —,** at the top. **plus —,** farther up.

hauteur, *f.* depth, height.

hazard, *m.* chance.

hein! h'm!

hélas! alas!

herbage, *f.* pasture.

herbe, *f.* grass, weed.

hérisser, ruffle.

héritier, *m.* heir.

hermine, *f.* ermine.

héroïquement, heroically.

héros, *m.* hero.

heure, *f.* hour, o'clock. **à la bonne —!** well! well! **de bonne —,** early. **tout à l'—,** a little while before.

heureusement, fortunately.

heureux, -euse, happy.

heurter, rattle, clash.

hirsute, rough.

histoire, *f.* story.

hiver, *m.* winter.

hivernage, *m.* wintering, winter.

homme, *m.* man, husband, fellow.

honnête, honest, worthy.

honneur, *m.* honor. **cour d'—,** main court.

honteux, -euse, ashamed.

hôpital, *m.* hospital.

horizon, *m.* horizon.

hôtel, *m.* hotel, dwelling.

hotte, *f.* basket.

houleux, -euse, rolling, swirling.

hourra! hurrah!

houspiller, tease.

huit, eight.

humeur, *f.* humor.

humilié, despised.

hurlement, *m.* yelling, howling.

I

ici, here. **d'—,** at once, in advance.

idée, *f.* idea, purpose.

illustré, illustrated.

image, *f.* picture, memory.

imiter, imitate, do the same.

immense, enormous.

immobile, motionless.

impatienter, fret.

imperturbable, cool, calm.

impitoyablement, pitilessly.

implorer, beg, urge.

importer, matter. **qu'importe!** what of it?

imposer, put, impose.

impossible, impossible.

improvisé, extempore.

impulsion, *f.* impulse.

incliner, bend.

inconnu, unknown, strange, novel.

inconnu, *m.* stranger.

indifférent, thoughtless, unheeding.

indigné, with indignation.

indiquer, point out, mark.

indispensable, absolutely necessary.

infirmerie, *f.* infirmary.

ingambe, active.

ingrat, ungrateful.

innocent, *m.* innocent, chit.

inonder, flood, overflow.

inquiet, -ète, restless, shifting, anxious, uneasy.

inquiétude, *f.* anxiety.

insinuer, hint.

intelligent, intelligent.

intercalé, explanatory.

interdit, confused, amazed.

intéressant, interesting.

interlope, meddling.

interrogatoire, *m.* examination.

interroger, examine, question.

interrompre, interrupt.

intervint, broke in (from **intervenir**).

intrigué, mystified.

inutile, useless, helpless.

invalide, *m.* cripple.

invariablement, invariably.

invitation, *f.* invitation.

inviter, invite, request.

ira (from **aller**).

irons (from **aller**).

isolé, alone, solitary.

isolement, *m.* isolation.

ivrogne, *m.* drunkard.

J

jamais, ever, never.

jambe, *f.* leg.

jaune, yellow.

jet d'eau, *m.* fountain.

jeter, throw, throw about, throw down, drop.

jeune, young.

jeunesse, *f.* youth.

joie, *f.* happiness, pleasure.

joindre, join, unite.

joint, *m.* seam.

joli, pretty, charming, "nice."

joue, *f.* cheek.

jouer, play.

jour, *m.* day.

journalier, *m.* day-laborer.

journée, *f.* day.

joyeux, -euse, jolly, happy.

juché, perched.

juger, judge, guess.

jupe, *f.* skirt.

jurer, swear.

jusque, to, as far as. jusqu'à, even to.

juste, just, true.

juste, exactly, at that moment.

justement, exactly, just, just then.

L

là, there. là-bas, over there. là-dedans, in that.

laborieux, -euse, industrious.

lâcher, let go, relinquish.

laid, plain, homely.

laisser, let, allow, leave, quit. laissez-moi faire, let me try. laissez faire Victor, let Victor have his way.

lait, *m.* milk.

lampe, *f.* lamp.

lancer, throw, catch, shoot out.

langue, *f.* tongue, language.

lanterne, *f.* lantern.

lapin, *m.* rabbit.

large, wide.

largement, freely.

larme, *f.* tear.

las, lasse, tired.

lassé, tired.

laver, wash.

lécher, lick.

leçon, *f.* lesson.

lecture, *f.* reading.

léger, -ère, light, thin.

légèrement, lightly.

lendemain, *m.* next day.

lentement, slowly.

lequel, laquelle, which.

lettre, *f.* letter.

lever, lift, raise. se —, rise, get up.

liberté, *f.* liberty, freedom.

libre, free.

lie, *f.* dregs.

lieu, *m.* place. au —, instead.

lieue, *f.* league.

ligne, *f.* line.

lit, *m.* bed.

livraison, *m.* unloading, delivery.

livre, *m.* book.

livrer, deliver.

locataire, *m.* tenant.

locomotive, *f.* engine.

loin, far, far off. au —, far away. de —, at a distance.

lointain, distant.

l'on, they, we, you.

long, longue, long. le — de, along. tout du —, in full, the whole length. en dit plus —, says more.

longtemps, for a long time. depuis —, long ago. il y a —, that was long ago.

longuement, for a long time.

loque, *f.* rag.

lorsque, when.

lot, *m.* prize.

loterie, *f.* lottery.

louer, let.

lourd, heavy, dull, clumsy.

lueur, *m.* light.

lui, him, he, for him. son . . . à lui, his own.

lui-même, himself.

luisant, polished.

lumière, *f.* light. appelait les —s d'en haut, invoked wisdom from above.

lumineux, -euse, bright.

lune, *f.* moon.

lut, read (from lire).

M

M., Monsieur. M. le Curé, his Reverence, your Reverence. M. le Commissaire, his Honor, your Honor.

maçon, *m.* mason.

madrier, *m.* plank.

magister, *m.* schoolmaster.

magnifique, magnificent.

maigre, thin, starved.

maigrichon, -onne, very thin.

main, *f.* hand. avoir sous la —, be at work upon.

maintenant, now.

mais, but.

maison, *f.* house.

maisonnette, *f.* cottage, villa.

maître, *m.* teacher.

maîtresse-arche, *f.* central arch.

majesté, *f.* majesty.

mal, bad. de — en pis, from bad to worse.

mal, badly.

mal, *m.* harm, trouble. fait —, hurts.

malade, sick.

malade, *c.* invalid, patient.

malgré, in spite of.

malheur, *f.* misfortune.

malheureux, -euse, poor, unfortunate, wretched.

malhonnête, dishonest.

malice, *f.* malice. sans —, open-hearted.

malin, maligne, mischievous.

maman, *f.* mamma.

manant, *m.* boor, peasant.

manche, *f.* sleeve.

manche, *m.* handle.

manger, eat.

manie, *f.* foolish action.

manœuvre, *f.* movement, machine, management.

manœuvrer, work, handle, steer.

manquer, miss.

mansarde, *f.* garret.

marchand, *m.* dealer.

marche, *f.* march.

marché, *f.* bargain, trade, sale. **par- dessus le —,** to boot.

marcher, walk, step.

marge, *f.* margin.

mari, *m.* husband.

mariage, *m.* wedding.

marié, married.

mariée, *f.* bride.

marinier, *m.* boatman.

marmite, *f.* frying-pan.

marmot, *m.* child, " kid," brat.

marquer, mark.

marraine, *f.* godmother.

marron, *m.* chestnut.

mars, *m.* March.

masquer, hide.

mât, *m.* mast.

matelas, *m.* mattress.

matelot, *m.* sailor.

matin, *m.* morning.

mâtin, *m.* mastiff. (See note, p. 66.)

matinée, *f.* morning.

maudit, cursed.

mauvais, bad.

me, me, to me, of me, from me.

méchant, bad.

médecin, *m.* doctor.

méfiance, *f.* distrust.

meilleur, better. **le —,** the best.

mélancoliquement, gloomily.

mêler, mix. **se —,** meddle.

membre, *m.* limb.

même, even, in fact. **tout de —,** after all.

même, le —, la —, the same.

menace, *f.* threat.

menacer, threaten.

ménage, *m.* household.

ménagère, *f.* housewife.

ménagerie, *f.* household, establish- ment.

mendiant, *m.* beggar.

mendier, beg.

mener, bring, lead, settle, manage bring to end.

meneuse, *f.* (See note, p. 67.)

mentalement, mentally.

mentir, lie.

menton, *m.* chin.

menuisier, *m.* carpenter.

mépriser, ignore.

mer, *f.* sea.

merci, " thanks," no, I thank you.

mère, *f.* mother.

mes, my.

mesure, *f.* measure. **à — que,** as, in proportion as, the farther, the higher.

mesurer, measure.

métier, *m.* business, trade.

mettre, put, produce. **se — à,** set about. **— à la porte,** turn out of doors.

meubles, *m.* household goods.

meulière. pierre —, millstone.

mi-, half, mid-. **mi-clos,** half shut. **à mi-jambes,** knee-deep.

midi, *m.* noon.

mieux, better.

mignon, *m.* little fellow.

milieu, *m.* middle, midst.

militaire, *m.* soldier.

millier, *m.* thousand.

mine, *f.* looks, appearance, air, visage.

minute, *f.* minute, moment.

mioche, *m.* child, "kid."

mirer, reflect, mirror.

mis (from mettre), set, put, dressed.

misère, *f.* wretchedness, poverty.

Mlle, Mademoiselle, Miss.

mobilité, *f.* restlessness.

mode, *f.* fashion.

moi, me, to me, myself, I.

moineau, *m.* sparrow.

moins, less. au —, at any rate, I hope.

mois, *m.* month.

moisi, *m.* moldiness.

mollement, faintly.

moment, *m.* time, moment.

mon, ma, mes, my.

monceau, *m.* heap.

monde, *m.* world. tout le —, everybody.

monsieur, *m.* gentleman.

montagnette, *f.* little hill.

montée, *f.* ascent.

monter, equip, set up, climb, rise.

montrer, show, point out, point to.

morceau, *m.* piece.

mordiller, bite, nibble, snap at.

mordre, bite.

mort (from mourir).

mot, *m.* word, saying.

moucher, wipe the nose.

mouillé, moist, tearful.

mourir, die.

moutard, *m.* child, "kid."

mouvement, *m.* movement.

moyen, *m.* means, "middler." le —? how? il n'y a pas —, it is impossible.

muet, muette, dumb, silent.

multiplier, multiply.

mur, *m.* wall.

muraille, *f.* wall.

musicien, *m.* player.

musique, *f.* band.

N

nage, *f.* swimming. à la —, by swimming.

narrer, tell, relate.

naufrage, *m.* wreck.

naviguer, sail.

navire, *m.* vessel.

ne, no, not. ne ... pas, not. ne ... jamais, never. ne ... que, only, not until.

né (from naître), born.

neige, *f.* snow.

nerf, *m.* nerve.

net, short. s'arrêter —, stop short.

nettement, clearly.

neuf, neuve, new. à —, anew, freshly.

nez, *m.* nose.

ni ... ni, neither ... nor.

niais, *m.* fool.

nid, *m.* nest.

noir, black, dismal, gloomy.

nom, *m.* name.

nommer, name.

non, no, not.

notaire, *m.* notary.

notre, our.

nourrice, *f.* nurse.

nourrir, support.

nourrisson, *m.* nursling.

nourriture, *f.* nursing.

nouveau, -elle, new.

nouvelle, *f.* news.

noyer, drown, fill.

nu, bare.

nuance, *f.* shade.

nuit, *f.* night.

numéroté, numbered.

O

obéir, obey.

obligé, obliged.

obsédé, beset by illusions. **obstination d' —,** persistence of obsession.

obstination, *f.* persistence.

obstinément, steady, fixedly.

occasion, *f.* occasion, cause, opportunity.

occupé, busy.

occuper, s'— de, pay attention to.

océan, *m.* ocean.

octogénaire, *c.* octogenarian.

odeur, *f.* smell.

œil, *m.* eye, notice. **coup d'—,** quick eye.

œuvre, *f.* work.

offrir, offer, invite.

ohé ! hello !

oiseau, *m.* bird.

oisif, -ive, idle.

oisillon, *m.* birdling.

ombre, *f.* darkness, shadow, gloom.

omnibus, *m.* omnibus, coach.

on, one, we, you, they, anybody.

onze, eleven.

opération, *f.* act.

oppressé, oppressed, depressed.

or, *m.* gold.

ordinaire, usual. **d'—,** usually. **à l'—,** as usual.

ordre, *m.* order, system. **avoir de l'—,** be systematic.

oreille, *f.* ear. **sur l'—,** canted to one side.

oreiller, *m.* pillow.

orgueil, *m.* pride.

orphelinat, *m.* orphan asylum.

oser, venture, dare.

ôter, take off.

ou, or.

où, when, where.

oublier, forget.

oui, yes.

ouvert, open, exposed.

ouvrable, workable.

ouvrier, *m.* workman.

ouvrir, open.

P

page, *f.* page.

paille, *f.* straw.

pain, *m.* bread.

paix, *f.* peace.

pâle, pale.

pâlot, a little pale.

pan, *m.* bit, section.

panade, *f.* bread soup.

panier, *m.* basket.

papier, *m.* paper.

paquet, *m.* package.

par, by, through, with, on, about.

par, excessively. **— trop,** a good deal too much.

paraître, seem, look.

parapet, *m.* parapet.

parbleu, of course (a corruption of **par Dieu**).

parce que, because.

parcourir, go about, scour.

par-dessus, above, beyond, over.

par-devant, in front.

pareil, such.

parent, *m.* parent.

paresse, *f.* idleness.

parfait, perfect.

parfum, *m.* scent.

parier, bet, wager.

parisien, -ienne, Parisian.

parler, speak, talk, tell. **avait son franc —,** had her say. **entendre — de,** hear of.

paroissien, *m.* parishioner.

parole, *f.* word, pledge.

parquet, *m.* floor.

parrain, *m.* godfather.

part, *f.* side, direction. **quelque —,** somewhere.

partage, *m.* sharing.

partager, share.

partie, *f.* part. **faisait — de,** was one of.

partir, go away, start. **à — de ce jour,** from that day forward.

paru (from paraître).

pas, *m.* step, footstep. **ne . . . —,** not. **— de,** no, not.

passage, *m.* passage. **au —,** on the way.

passant, *m.* passer-by.

passe, *f.* channel.

passé, *m.* past.

passer, pass, go, call, bring through. **se —,** go on, happen. **passa pour avoir,** was reputed to have.

passerelle, *f.* gang-plank.

passionnément, ardently.

pastoral, pastoral.

patiemment, patiently.

patient, *m.* victim.

patron, *m.* master, captain.

patte, *f.* paw, foot, leg.

paupière, *f.* eyelid.

pauvre, poor.

pavé, *m.* pavement.

pavoisé, decked with flags.

payer, pay. **se —,** buy.

pays, *m.* country.

paysage, *m.* scenery.

paysan, *m.* peasant.

peau, *m.* skin.

peigne, *m.* comb.

peine, *f.* pain, difficulty, suffering. **à la —,** full of distress. **à —,** hardly. **perdait sa —,** wasted her sympathy.

peiner, grieve.

penaud, crestfallen.

penché, bent, bending.

pencher, se —, lean, bend.

pendant, during. **— que,** while.

pendre, hang.

péniblement, with pains, laboriously.

pensée, *f.* thought.

penser, think.

pente, *f.* slope.

percale, *f.* cambric.

percé, full of holes, leaky.

perche, *f.* pole.

perdre, lose, ruin.

perdu, lost, ruined.

père, *m.* father.

péril, *m.* danger.

permission, *f.* permission.

perpetuel, -elle, incessant.

perroquet, *m.* parrot.

personne, *f.* person, anybody. **ne . . . —,** nobody.

personnel, *m.* crew.

perspective, *f.* perspective, line of vision.

petit, little.

petit, *m.* child, " primary."

peu, *m.* little, bit. **un —,** rather somewhat.

peuple, *m.* people.

peur, *f.* fear. **de —,** for fear. **avait —,** was afraid.

peut-être, perhaps.

peux (from **pouvoir**). **je n'en — plus,** I can't stand it any longer.

phrase, *f.* sentence, saying.

piailler, chirp.

picorer, peck.

picoter, cause to quiver.

pied, *m.* foot. **sur —,** standing.

pierre, *f.* stone.

pile, *f.* pile, pier.

pion, *m.* monitor.

pipe, *f.* pipe.

pis, worse.

pitié, *f.* pity.

pivoter, swing about.

place, *f.* place, room, space, situation.

placement, *m.* investment.

plafond, *m.* ceiling.

plaignait (from **plaindre**), pitied.

plaisanter, joke, trifle.

plaisanterie, *f.* joke.

plaisir, *m.* favor, pleasure. **avoir du —,** be very glad.

planche, *f.* plank, board.

plancher, *m.* floor.

planisphère, *m.* map.

planter, set. **— là,** set aside.

plat, flat.

plein, full, covered. **— air,** open air. **en —,** in the middle of, deep in.

pleurer, weep, cry, whimper.

ployer, bend.

pluie, *f.* rain.

plumeau, *m.* feather duster.

plus, more. **de — en —,** more and more. **le —,** the most. **plus de !** no more ! **ne ... —,** no longer, never again.

plutôt, rather. **— que,** rather than. **demandez — aux eclusiers,** ask the lock-masters if you don't believe me.

poche, *f.* pocket.

poêlon, *m.* frying-pan.

poignée, *f.* grasp.

poing, *m.* fist.

point, *m.* record, report.

pointe, *f.* tip. **marcher sur la —,** walk on tiptoe.

poissé, sticky.

poitrine, *f.* breast, chest.

police, *m.* police.

pomme, *f.* apple. **— de terre,** potato.

pomper, pump.

pont, *m.* bridge, deck. **— volant,** landing-stage.

pontier, *m.* bridge-keeper.

potager, *m.* kitchen-garden.

port, *m.* landing.

porte, *f.* door. **mettre à la —,** put out of doors.

portée, *f.* reach.

porter, carry, wear.

poser, set, set down, lay aside, ask **se —,** strike an attitude.

possible, possible.

poste, *f.* station, police-station.

poule, *f.* chicken, hen.

pour, for, in, about, in order to.

pourquoi, why.

pourra (from **pouvoir**).

pourrir, rot.

poursuivre, follow.

pourtant, yet, nevertheless.

pousser, push, open, utter, grow, kick.

poutre, *f.* timber.

pouvoir, be able, can, could, may, might. il n'en pouvait plus, he could go no farther.

préambule, *m.* preface.

préau, *m.* lawn.

précipiter, se —, rush.

premier, -ère, first.

prendre, take, get, seize, catch.

prennent (from prendre). — par assaut, take by storm.

préparer, prepare.

près, close by.

presbytère, *m.* parsonage.

présent, present.

presque, almost.

presse, *f.* crowd, crush.

prêt, ready.

prêtre, *m.* priest.

prévenu, *m.* prisoner.

prier, beg.

prime, *f.* (See note, p. 67.)

principal, *m.* principal.

printemps, *m.* spring.

pris (from prendre).

prison, *m.* prison.

prit (from prendre).

prix, *m.* price.

probable, likely.

probablement, probably.

professeur, *m.* professor.

profession, *f.* business, trade, occupation.

profiter, benefit, help. — de, take advantage of.

progrès, *m.* progress. faisais des —, were improving.

progressif, -ive, progressive, steady.

promenade, *f.* walking.

promener, cast.

promettre, promise.

prononcer, pronounce, speak.

propos, *m.* subject. à — de, about. à tout —, at every little thing.

proposer, propose, set up.

propre, own.

propriétaire, *m.* landlord.

protecteur, -trice, patronizing.

protection, *f.* protection.

protégé, *m.* ward.

protester, object.

prouver, prove.

provenir, come from.

Providence, *f.* Providence.

pu (from pouvoir). on eût — croire, you might have thought.

puis, then.

puisque, since.

punir, punish.

pupitre, *m.* desk.

pur, simple, plain, pure.

Q

quai, *m.* quay, wharf.

quand, when.

quant à, as to.

quartier, *m.* quarter, district.

quatre, four. — à —, on the run. marchand de — saisons, push-cart man.

que, that, which.

que ? what ?

que, that, as, how, than. — tu es bête ! how silly you are !

quel, quelle, what ? what a !

quelque, some. — chose, something.

quelquefois, sometimes.

quelqu'un, somebody.

querelle, *f.* quarrel.

quereller, irritate. se —, quarrel.

qu'est-ce que ? what ? (object).

qu'est-ce qui ? what ? (subject).

qu'est-ce que c'est que ça? what's that?

qu'est-ce qu'il y a? what does it all mean?

question, *f.* question, thought.

questionner, question.

qui, who, whom, which.

quille, *f.* (See note, p. 63.)

quinze, fifteen.

quitter, leave, let go.

quoi, what. de —, enough, the wherewithal, the means.

R

raccommoder, repair. se —, make up.

raccord, *m.* patching up.

raccrocher, cling.

racheter, buy back, recover.

radouber, repair.

raffinerie, *f.* refinery.

rafraîchir, refresh.

rage, *f.* mania, passion.

rageusement, eagerly.

raie, *f.* ray.

raison, *f.* reason. avoir —, be right.

raisonner, reason, argue.

ramasser, pick up.

ramée, *f.* brushwood.

ramener, bring back, take back.

rampe, *f.* ascent. (See note, p. 66.)

rancart, *m.* refuse. (See note, p. 65.)

rangé, drawn up.

rapide, swift.

rappeler, recall, remind. se —, remember.

rapport, *m.* report.

rapporter, bring back, bring home. — gros, bring in a good income.

rapprocher, bring near. se —, come nearer.

rare, infrequent.

ras, *m.* level.

rasade, *f.* bumper, toast.

rasé, shaven.

rassemblement, *m.* crowd.

rassuré, confident.

rassurer, strengthen.

rattraper, catch.

ravi, delighted.

rayonner, beam.

rebut, *m.* refuse.

recevoir, get, receive.

réchapper, escape.

réclamer, call for, claim.

recommencer, begin again, try again.

reconduire, take back.

reconnaître, recognize.

reconnu (from reconnaître), recognized.

récréation, *f.* recess.

récrier, se —, exclaim.

récrimination, *f.* objection.

récriminer, object.

recueillir, pick up, take in.

reculer, put off, retreat.

redouté, dreaded.

redresser, get control of, bring into line with current.

réfectoire, *m.* refectory.

réfléchi, thoughtful.

refléter, reflect.

refouler, roll back, crowd back.

refroidir, grow cold.

refuser, refuse.

regard, *m.* look, eye, glance.

regarder, look at, eye, watch, concern.

régénération, *f.* reform, change.

régler, settle.

reins, *m. pl.* waist.

rejoindre, regain, reach.

réjoui, enjoying.

relâche, *f.* stopping, interruption.

relâcher, put into port, tie up.

relever, pick up again, recover, revive.

relié, connected.

rembourré, padded.

remercier, thank.

remettre, give up. se —, get well.

remit (from remettre).

remonter, bring up, go up.

remords, *m.* remorse.

remorqueur, *m.* tow-boat.

remous, *m.* eddy.

remplacer, replace by another, take the place of.

remplir, fill.

remuer, shake, move, arouse.

rencontrer, meet.

rendez-vous, *m.* appointment.

rendormir, go to sleep again.

rendort (from rendormir).

rendre, restore, make. se —, go.

rengorger, carry the head high, strut about.

renommé, famous.

renoncer, give up.

rentier, *m.* capitalist.

rentrer, return, put back, enter. — chez eux, reach home.

renverser, throw back, tip over.

renvoi, *m.* sending back, return.

reparaître, reappear, come back.

réparer, repair, atone for.

repartir, start on again.

repas, *m.* meal.

répéter, repeat, keep saying.

répondre, answer, reply.

réponse, *f.* answer.

reporter, take back.

repos, *m.* rest.

reposer, rest.

repousser, push back.

reprendre, continue, resume.

reproduit, repeated.

réquisitoire, *m.* prosecuting attorney's address.

résigné, resigned, patient.

résistance, *f.* opposition.

résolution, *f.* resolve, purpose.

respect, *m.* respect.

respirer, breathe.

ressembler, resemble.

resserré, cramped.

ressource, *f.* resource.

restauré, refitted.

reste, *m.* surplus.

rester, stay, remain, continue, stand.

retarder, delay.

retirer, se —, withdraw.

retour, *m.* return.

retourner, go back. se —, turn about.

retraite, *f.* retreat.

réunir, collect, gather.

réussir, succeed.

rêve, *m.* dream.

réveil, *m.* awakening, morning.

réveiller, awaken, arouse. se —, awake.

revenir, return, recover.

rêver, dream.

revint (from revenir).

revirement, *m.* change.

revoir, see again. au —, good-bye.

rez-de-chaussée, *m.* ground-floor.

ribote, *f.* drunkenness, reveling.

riche, rich.

rideau, *m.* curtain.

rien, something, anything, nothing. — du tout, nothing at all. — qu'à penser, merely to think.

rire, laugh.

risquer, risk.

rivière, *f*. river.

robuste, vigorous.

rôder, prowl.

roide, stiff.

rôle, *m*. part. à tour de —, in turn.

roman, *m*. romance.

romper, burst, break. — avec, break with, give up.

rond, plump, chubby.

rondement, completely.

ronfler, snore.

roquet, *m*. pug-dog.

rose, pink.

rosser, beat.

rouge, red.

rougeaude, ruddy.

rouge-gorge, *m*. redbreast, robin.

rougi, red.

rougir, blush, redden.

roulade, *f*. trill, song.

roulement, *m*. rolling.

rouler, roll, roll up, roll down, swing, coil, cheat, wander about. se —, roll about.

route, *f*. road, way. en —, off. se mettre en —, set off.

rouvrir, open again.

rude, rough, harsh, fierce.

rudoyer, abuse.

rue, *f*. street.

ruer, se —, rush along.

ruiner, ruin.

ruisseau, *m*. gutter.

S

sabot, *m*. wooden shoe.

sacrifice, *m*. sacrifice.

sage, good.

saisi, overcome.

saisir, seize, grasp, catch.

saison, *f*. season.

sait (from savoir).

salade, *f*. salad.

sale, dirty.

salle, *f*. room. — à manger, dining room.

sanglot, *m*. sob.

sangloter, sob.

sans, without. — que, without.

santé, *f*. health.

saper, fell.

sapin, *m*. spruce, fir.

satin, *m*. satin.

satisfaction, *f*. satisfaction.

satisfait, satisfied.

sauf, safe. — votre respect, saving your presence.

saura (from savoir).

sauter, stew, fry.

sauvage, shy.

sauvagerie, *f*. shyness.

sauver, save. se —, run away.

savant, educated.

savoir, know, know how. sans en — plus long, without any more questions.

scellé, bedded, fastened.

scène, *f*. stage, scene.

scie, *f*. saw.

scierie, *f*. sawmill.

scrupule, *m*. scruple. sans — unscrupulous.

sec, sèche, dry, seasoned.

seconde, *f*. second, moment.

secouer, shake.

secours, *m*. help.

secousse, *f*. shock.

secret, -ète, secret.

selon, according to.

semaine, *f*. week.

sembler, seem, appear. **semblait
à plaindre,** seemed deserving of
pity.

sens, *m.* sense.

sensation, *f.* feeling.

sentiment, *m.* consciousness.

sentir, know, feel, be conscious.
se sentait le cœur allégé, felt his
heart lightened. **se sentait l'énergie,** felt he had the strength.

séparer, separate. **se —,** part.

sept, seven.

serait (from être).

sergent de ville, *m.* policeman.

serrer, tighten, clasp, roll up.

sert (from servir).

servante, *f.* servant.

serviette, *f.* napkin.

servir, help, serve.

seuil, *m.* threshold, doorway.

seul, alone. **parler —,** talk to
himself. **à lui tout —,** quite
alone.

seulement, only.

sévèrement, sternly.

sevrer, wean.

si, so, yes, certainly.

si, if, suppose.

sien, sienne, his, her, its.

siffler, whistle.

sifflet, *m.* whistle.

signe, *m.* sign.

silence, *m.* silence.

silencieux, -euse, silent.

silhouette, *f.* dark outline.

simple, simple.

simplement, simply.

singulier, -ère, singular, striking.

sitôt, as soon as.

situation, *f.* situation, occasion.

six, six.

sœur, *f.* sister.

soi, one's self.

soigner, care for.

soir, *m.* evening.

soirée, *f.* evening.

soit (from être).

soleil, *m.* sun, sunshine.

solennellement, solemnly.

solidement, securely.

solitude, *f.* solitude.

solive, *f.* beam, joist.

solution, *f.* solution.

sombre, gloomy, dark.

sombre, *m.* gloom.

sommeil, *m.* sleep, repose.

sommeiller, sleep.

son, sa, ses, his, her, its.

son, *m.* sound.

songer, think.

sonné, struck. **onze heures sonnées,** past eleven o'clock.

sonore, sonorous, echoing.

sorcière, *f.* witch, old hag.

sortie, *f.* exit, coming out.

sortir, come out, go out.

sortir, *m.* exit.

sottise, *f.* blunder, stupidity.

sou, *m.* cent.

souci, *m.* care, anxiety.

soucieux, -euse, anxious.

souffler, blow, blow out, breathe,
whisper.

souffrir, suffer, endure.

souhaiter, wish.

soulever, lift.

soulier, *m.* shoe.

soumission, *f.* submissiveness.

soupe, *f.* soup, stew, supper.

soupir, *m.* sigh.

soupirail, *m.* slitted window.

soupirer, sigh.

sourd, deaf, dull, muffled. sourd-muet, deaf and dumb.

sourir, smile.

sous, under.

soutenu, constant, unremitting.

souvenir, se — de, remember.

souvenir, *m.* memory.

souvent, often.

spectacle, *m.* scene.

stagnant, stagnant.

station, *f.* stopping-place.

stupéfaction, *f.* amazement.

su (from savoir).

subir, undergo, experience.

subite, sudden, immediate.

succès, *m.* success.

sucre, *m.* sugar.

sucrer, sweeten.

suer, sweat.

suffir, suffice, be enough.

suffoqué, choking, struggling for breath.

suis (from être).

suit (from suivre).

suite, *f.* following. de —, running. tout de —, all at once, immediately. à la — de, after.

suivre, follow. — l'école, go to school.

sujet, *m.* subject. à son —, about him.

suppliant, appealing, deprecating.

supplice, *m.* punishment, suffering, torture.

supplier, entreat, beg.

sur, on, over, towards, to, near.

sûr, sure. pour —, surely. bien —, of course.

sûrement, certainly.

surprendre, surprise.

surpris, astonished, surprised.

surprise, *f.* surprise.

surveiller, watch, superintend.

suspendre, hang up.

syllabe, *f.* syllable.

T

table, *f.* table, desk.

tablier, *m.* apron.

tâcher, try.

taciturne, silent, disinclined to talk.

taille, *f.* waist, stature, figure, size.

tailler, cut out, whittle out.

tailleur, *m.* tailor.

taire, be quiet, stop talking, keep silent. se —, be silent.

tandis que, while.

tangage, *m.* pitching.

tant, so, so many, so much, so often.

tantôt, sometimes.

taper, rap.

taquiner, tease.

tard, late.

tartine, *f.* sandwich.

tas, *m.* pile.

tasser, se —, crowd together.

taudis, *m.* hole.

témoigner, show, prove.

temple, *m.* temple.

temps, *m.* time, chance, opportunity. à —, in time. par tous les —, in all weathers.

tendre, stretch, strain, hold out.

tendre, tender, affectionate.

tendresse, *f.* tenderness, love.

tendu, stretched.

tenir, hold, keep, fill, occupy.

tente, *f.* awning.

tenter, tempt.

terme, *m.* rent.

terre, *f.* soil, floor.

terrible, terrible.

terrifier, frighten.

tête, *f.* head. femme de —, brainy woman.

tête-à-tête, en —, together, by ourselves.

téter, nurse.

têtu, headstrong, obstinate.

texte, *m.* print.

théorème, *m.* theorem.

tic, *m.* peculiarity, fad.

tiédeur, *f.* warmth.

tiendrai (from tenir).

tiens! hello!

tient (from tenir).

tignasse, *f.* shock of hair.

tillac, *m.* deck.

timbré, stamped.

timide, shy.

tirer, draw, pull, drag along. se tirent, are drawn aside.

tisane, *f.* potion.

tisonner, stir, poke.

titre, *m.* title, claim, standing.

toi, you, yourself.

toile, *f.* cloth.

toilette, *f.* toilet.

toit, *m.* roof.

tolérer, endure.

tomber, fall, happen, rush.

ton, *m.* tone, voice.

topez. (See note, p. 61.)

toque, *f.* cap.

toqué, cracked, crazy.

toquer, se —, take a fancy.

tortillement, *m.* twirling.

torture, *f.* torture.

tôt, soon, early.

toucher, touch, approach, be near.

toueur, *m.* tow-boat, tow-boy.

toujours, always, still. riait —, kept on laughing.

toupie, *f.* top.

tour, *m.* turn, girth. à — de bras, with all his might. à — de rôle, in turn.

tourmenter, torment.

tournant, *m.* corner, curve.

tourner, turn, spin round, turn out, twirl. se —, turn.

tournure, *f.* turn.

tout, toute, all, whole, everything. tous les jours, every day tout le monde, everybody. tout ce qu'il faut, everything necessary.

tout, toute, quite. tout juste, exactly. tout en parlant, still talking. tout à fait, quite, completely.

tracer, draw, write.

train, *m.* train, raft.

traîner, drag, drag along.

traiter, treat.

tranquille, quiet. laissez-moi —, do let me alone.

tranquillement, calmly.

transformation, *f.* change.

traquer, hunt.

travail, *m.* work, working.

travailler, work.

travée, *f.* bay.

travers, de —, awry. au — de, through.

traverser, cross.

tremblant, trembling, flickering.

tremblé, unsteady.

tremper, bathe.

trente-six, thirty-six.

très, very, very much.

trésor, *m.* treasure.

tressaillir, tremble

tribulation, *f.* trouble.

tricot, *m.* knitting.

tricoter, knit.

trimbaler, drag about.

trimestriel, -elle, quarterly.

trinquer, clink glasses, drink.

triste, sad, cheerless.

tristesse, *f.* sadness.

trois, three.

tromper, deceive. se —, make a mistake.

tronc, *m.* trunk.

trop, too, too much.

trottoir, *m.* sidewalk.

trou, *m.* hole.

trouble, dirty.

troublé, confused.

troubler, dim. se —, become confused.

trouer, pierce, tear.

trouver, find, think. **enfant trouvé,** foundling.

tunique, *f.* tunic.

turent (from taire).

turpitude, *f.* disgrace.

type, *m.* pattern, style.

U

un, une, one, a.

uniforme, *m.* costume.

usage, *m.* custom.

utile, useful.

V

va (from aller). il va sans dire, of course. va-t'en donc! for Heaven's sake do go away!

vacance, *f.* vacation.

vache, *f.* cow.

vaciller, swing from side to side.

vagué, tossing in waves.

vaguement, dimly.

vaguette, *f.* wavelet.

vagueux, -euse, tossing in waves.

vaillamment, bravely.

vais (from aller).

valoir, be worth, be equivalent to.

vapeur, *f.* steam.

vareuse, *f.* blouse, working-frock.

vas (from aller).

vécu (from vivre).

veille, *f.* day before, evening before.

veilleuse, *f.* night-lamp.

vendeur, *m.* seller, dealer.

vendre, sell. se —, sell.

venger, avenge. se —, show resentment, pay back.

venir, come. **venait de chasser,** had just turned out.

vent, *m.* wind. **en plein —,** in the open air.

vente, *f.* sale.

ventre, *m.* belly. **à plat —,** at full length.

venu (from venir).

verdure, *f.* verdure, foliage.

véritable, real.

verni, polished.

verre, *m.* glass.

vers, towards.

verser, pour out.

vert, green.

vétu, clothed.

veuf, *m.* widower.

veut (from vouloir).

veux (from vouloir).

viande, *f.* meat.

vice, *m.* fault.

vider, empty.

vie, *f.* life.

vieillesse, *f.* old age.

vieillir, grow old.

viendront (from venir).

viens (from venir). — donc, do come.

vient (from venir). — de faire, has just made.

vieux, vieille, old. mon —! my boy!

village, *m.* village.

villageois, of the villagers.

ville, *f.* city.

vin, *m.* wine.

vint (from venir).

violet, -tte, violet.

virer, turn. — de bord, come about.

virent, saw (from voir).

visière, *f.* visor.

vision, *f.* vision, sight, illusion. avoir le — de, imagine.

visite, *f.* call, visit.

vit (from vivre).

vit (from voir).

vite, quickly, rapidly.

vitesse, *f.* speed.

vitre, *f.* window-pane.

vivement, quickly.

vivre, live.

vœu, *m.* prayer, wish.

voici, notice that . . . .

voilà, there. le —, there he (it) is, notice, you see. — pourquoi, that's why.

voile, *f.* sail.

voir, see.

voisin, near.

voisin, *m.* neighbor.

voiture, *f.* carriage.

voix, *f.* voice.

vol, *m.* flight.

voler, fly.

voler, steal.

volière, *f.* big cage.

voltiger, flit about.

volonté, *f.* will.

votre, your.

vôtre, la —, yours.

voudrez (from vouloir). tout ce que vous —, just as you like.

vouloir, wish, prefer, seem. voulait dire, meant.

voûte, *f.* vault, arch.

voyage, *m.* trip, voyage, journey, traveling.

voyageur, *m.* traveler.

voyant (from voir).

voyez (from voir).

voyons (from voir), see here! come now! let's see! well!

vrai, true.

vraiment, really.

vu, seen (from voir).

vue, *f.* sight, view. à — d'œil, perceptibly.

W

wagon, *m.* wagon.

Y

y, there, to it, about it. il — a, there is. il — en a, there is enough. il — a six mois, six months ago. il n'y a jamais eu, there has never been. qu'est-ce qu'il — a? what's the matter? ça — est, it's all up.

yeux, *m.* eyes, looks.

Z

zigzagant, crooked.

zinc, *m.* zinc.